图书馆精选文丛

我的自学小史

梁漱溟 著

Copyright © 2021 by SDX Joint Publishing Company.
All Rights Reserved.
本作品版权由生活·读书·新知三联书店所有。
未经许可,不得翻印。

图书在版编目(CIP)数据

我的自学小史/梁漱溟著. —北京:生活·读书·新知三联书店,2021.1
(图书馆精选文丛)
ISBN 978-7-108-07002-9

Ⅰ.①我⋯ Ⅱ.①梁⋯ Ⅲ.①梁漱溟(1893-1988)-回忆录 Ⅳ.① K825.4

中国版本图书馆 CIP 数据核字(2020)第 219424 号

责任编辑	唐明星
装帧设计	刘 洋
责任印制	董 欢
出版发行	生活·讀書·新知 三联书店
	(北京市东城区美术馆东街 22 号 100010)
网 址	www.sdxjpc.com
经 销	新华书店
印 刷	北京市松源印刷有限公司
版 次	2021 年 1 月北京第 1 版
	2021 年 1 月北京第 1 次印刷
开 本	880 毫米×1230 毫米 1/32 印张 4.375
字 数	73 千字
印 数	0,001-6,000 册
定 价	21.00 元

(印装查询:01064002715;邮购查询:01084010542)

写在前面

梁漱溟（1893—1988），著名哲学家、教育家、社会活动家、爱国民主人士，主要研究人生问题和社会问题，现代新儒家的早期代表人物之一，有"中国最后一位儒家"之称。梁漱溟受泰州学派的影响，在中国发起过乡村建设运动，并取得可以借鉴的经验。在半个多世纪里，他发表了大量有影响的著作，主要有：《东西文化及其哲学》、《印度哲学概论》、《乡村建设论文集》、《乡村建设理论》、《中国文化要义》等。

《我的自学小史》为梁先生于1942年时，应桂林《自学》月刊之约而写。梁漱溟先生一生所受的正规教育也就是"两度家塾、四个小学"，及至顺天中学毕业，此后再未能受正规的教育，入较高的学校求学。但梁先生之后能成为一代大儒，全靠自学而来。将自己"自幼修学，以至在某些学问上'无师自通'的经过，叙述出来给年青朋友，未始无益，"这是梁先生当年写此文章的目的。但文章里所讲述的故事，及他所呈现出来的思想观点，对今天的学子来说，依然不无裨益。

全书篇幅简短，叙事朴实、精彩。全文从家庭出身写起，讲述了一个"瘠弱而又呆笨的孩子"受家庭、社会，以及各种思想的影响，通过自学，渐渐领悟学识真谛，如何步入学识殿堂、渐取得成就的过程。对此，作者曾说过自己自学的心得："我本来无学问，只是有思想；而思想之来，实来自我的问题，来自我的认真。"从中，或可读出梁先生成为一名在国内外享有盛誉学者的缘由。

本次出版，还收入梁先生1928年在广州中山大学的讲演《如何成为今天的我》与1934年所作的长篇讲话《自述》。这两篇文章都为梁先生当年向众多青年学者讲述自己求学及其学术成长的历程，其内容可与《我的自学小史》相参照，从中更可看出梁先生的一生是一位自学成才的极好实例。

生活·讀書·新知 三联书店编辑部

目录

我的自学小史 …………………………………………… 1

序言 …………………………………………………… 3
一 我生在这样一个家庭 ……………………………… 5
二 我的父亲 …………………………………………… 7
三 一个瘠弱而又呆笨的孩子 ………………………… 11
四 经过两度家塾、四个小学 ………………………… 13
五 从课外读物说到我的一位父执 …………………… 17
六 自学的根本 ………………………………………… 24
七 五年半的中学 ……………………………………… 28
八 中学时期之自学 …………………………………… 33
九 自学资料及当年师友 ……………………………… 37

十	初入社会 ……………………………………	43
十一	激进于社会主义 ………………………………	47
十二	出世思想 ……………………………………	53
十三	学佛又学医 …………………………………	55
十四	父亲对我信任且放任 ………………………	57
十五	当年倾慕的几个人物 ………………………	60
十六	思想进步的原理 ……………………………	64
十七	东西文化问题 ………………………………	65
十八	回到世间来 …………………………………	66

如何成为今天的我 …………………………………… 69

自述 …………………………………………………… 89

我的自学小史

题　记

《我的自学小史》系著者1942年在桂林应《自学》月刊之约而写，原列目次共十八节；但因斯时《中国文化要义》亦在属草，难于兼顾，只写成并发表了前十一节。1947年曾在上海出版单行本。三十二年之后，即1974年3月，著者又就原列目次之第十二节至十五节，简略填补之。最后三节则为1974年以后补写。

1987年，已发表之前十一节与补写之后七节均收入《我的努力与反省》（文集）一书，是为该书全文首次发表。

序　言

　　我想我的一生正是一自学的极好实例。若将我自幼修学，以至在这某些学问上"无师自通"的经过，叙述出来给青年朋友，未始无益。于是着手来写《我的自学小史》。

　　学问必经自己求得来者，方才切实有受用。反之，未曾自求者就不切实，就不会受用。俗语有"学来的曲儿唱不得"一句话；便是说：随着师傅一板一眼地模仿着唱，不中听的。必须将所唱曲调吸收融会在自家生命中，而后自由自在地唱出来，才中听。学问和艺术是一理：知识技能未到融于自家生命而打成一片地步，知非真知，能非真能。真不真，全看是不是自己求得的。一分自求，一分真得；十分自求，十分真得。"自学"这话，并非为少数未得师承的人而说；一切有师傅教导的人，亦都非自学不可。不过比较地说，没有师承者好像

"自学"意味更多就是了。

像我这样,以一个中学生而后来任大学讲席者,固然多半出于自学。还有我们所熟识的大学教授,虽受过大学专门教育,而以兴趣转移及机缘凑巧,却不在其所学本行上发挥,偏喜任教其他学科者,多有其人;当然亦都是出于自学。便是大多数始终不离其本学门的学者,亦没有人只守着当初学来那一些,而不是得力于自己进修的。我们相信,任何一个人的学问成就,都是出于自学。学校教育不过给学生开一个端,使他更容易自学而已。青年于此,不可不勉。

此外我愿指出的,我虽自幼不断地学习以至于今,然却不着重在书册上,而宁在我所处时代环境一切见闻。我还不是为学问而学问者,而大抵为了解决生活中亲切实际的问题而求知。因此在我的自学小史上,正映出了五十年来之社会变动、时代问题。倘若以我的自述为中心线索,而写出中国最近五十年变迁,可能是很生动亲切的一部好史料。现在当然不是这样写,但仍然可以让青年朋友得知许多过去事实,而了然于今天他所处社会的一些背景。

一　我生在这样一个家庭

距今五十年前，我生于北京。那是清光绪十九年癸巳，西历一八九三年，亦就是甲午中日大战前一年。甲午之战是中国近百年史中最大关节，所有种种剧烈变动皆由此起来。而我的大半生，恰好是从那一次中日大战到这一次中日大战。

我家原是桂林城内人。但从祖父离开桂林，父亲和我们一辈便都生长在北京了。母亲亦是生在北方的；而外祖张家则是云南大理人，从外祖父离开云南，没有回去。祖母又是贵州毕节刘家的。在中国说：南方人和北方人不论气质上或习俗上都颇有些不同的。因此，由南方人来看我们，则每每当成我们是北方人；而在当地北方人看我们，又以为是来自南方的了。我一家人，兼有南北两种气息，而富于一种中间性。

从种族血统上说，我们本是元朝宗室。中间经过明清二代五百余年，不但旁人不晓得我们是蒙古族，即自家不由谱系上查明亦不晓得了。在几百年和汉族婚姻之后的我们，融合不同的两种血，似亦具一中间性。

从社会阶级成分上说：曾祖、祖父、父亲三代都是从前所谓举人或进士出身而做官的。外祖父亦是进士而做官的。祖母、母亲都读过不少书，能为诗文。这是所谓"书香人家"或"世宦之家"。但曾祖父做外官（对京官而言）卸任，无钱而有债。祖父来还债，债未清而身故。那时我父亲只七八岁，靠祖母开蒙馆教几个小学生度日，真是寒苦之极。父稍长到十九岁，便在"义学"中教书，依然寒苦生活。世宦习气于此打落干净；市井琐碎，民间疾苦，倒亲身尝历的。四十岁方入仕途，又总未得意，景况没有舒展过。因此在生活习惯上意识上，并未曾将我们后辈限于某一阶级中。

父母生我们兄妹四人。我有一个大哥，两个妹妹。大哥留学日本明治大学商科毕业。两妹亦于清朝最末一年毕业于"京师女子初级师范学堂"。我们的教育费，常常是变卖母亲妆奁而支付的。

像这样一个多方面荟萃交融的家庭，住居于全国政治文化中心的北京，自无偏僻固陋之患。又遭逢这样一个变动剧烈的时代，见闻既多，是很便于自学的。

二 我的父亲

遂成我之自学的，完全是我父亲。所以必要叙明我父亲之为人，和他对我的教育。

吾父是一秉性笃实的人，而不是一天资高明的人。他做学问没有过人的才思；他做事情更不以才略见长。他与母亲一样天生的忠厚；只他用心周匝细密，又磨炼于寒苦生活之中，好像比较能干许多。他心里相当精明，但很少见之于行事。他最不可及处，是意趣超俗，不肯随俗流转，而有一腔热肠，一身侠骨。

因其非天资高明的人，所以思想不超脱。因其秉性笃实而用心精细，所以遇事认真。因为有豪侠气，所以行为只是端正，而并不拘谨。他最看重事功，而不免忽视学问。前人所说"不耻恶衣恶食，而耻匹夫匹妇不被其泽"的话，正好点出我父一副心肝。——我最初的思想和做人,受父亲影响,亦就是这么一路(尚侠、认真、不超脱)。

父亲对我完全是宽放的。小时候,只记得大哥挨过打;这亦是很少的事。我则在整个记忆中,一次亦没有过。但我似乎并不是不"该打"的孩子。我是既呆笨,又极拗的。他亦很少正言厉色地教训过我们。我受父亲影响,并不是受了许多教训,而毋宁说是受一些暗示。我在父亲面前,完全不感到一种精神上的压迫。他从未以端凝严肃的神气对儿童或少年人。我很早入学堂,所以亦没有从父亲受读。

十岁前后(七八岁至十二三岁)所受父亲的教育,大多是下列三项。一是讲戏,父亲平日喜看京戏,即以戏中故事情节讲给儿女听。一是携同出街,购买日用品,或办一些零碎事;其意盖在练习经理事物,懂得社会人情。一是关于卫生或其他的许多嘱咐;总要儿童知道如何照料自己身体。例如:

> 正当出汗之时,不要脱衣服;待汗稍止,气稍定再脱去。
>
> 不要坐在当风地方,如窗口门口过道等处。
>
> 太热或太冷的汤水不要喝,太燥太腻的食物不可

多吃。

　　光线不足，不要看书。

诸如此类之嘱告或指点，极其多；并且随时随地不放松。

　　还记得九岁时，有一次我自己积蓄的一小串钱（那时所用铜钱有小孔，例以麻线贯串之），忽然不见。各处寻问，并向人吵闹，终不可得。隔一天，父亲于庭前桃树枝上发见之，心知是我自家遗忘。并不责斥，亦不喊我看。他却在纸条上写了一段文字，大略说：

　　一小儿在桃树下玩耍，偶将一小串钱挂于树枝而忘之。到处向人寻问，吵闹不休。次日，其父亲打扫庭院，见钱悬树上，乃指示之。小儿始自知其糊涂云云。

写后交与我看，亦不作声。我看了，马上省悟跑去一探即得，不禁自怀惭意。——即此事亦见先父所给我教育之一斑。

　　到十四岁以后，我胸中渐渐自有思想见解，或发于言论，或见之行事。先父认为好的，便明示或暗示鼓励。他不同意的，让我晓得他不同意而止，却从不干涉。十七八九岁时，有些关系颇大之事，他仍然不加干涉，而听我去。就在他不干涉之中，成就了我的自学。那些事例，待后面即可叙述到。

三　一个瘠弱而又呆笨的孩子

　　我自幼瘠瘦多病，气力微弱；未到天寒，手足已然不温。亲长皆觉得，此儿怕不会长命的。五六岁时，每患头晕目眩；一时天旋地转，坐立不稳，必须安卧始得。七八岁后，虽亦跳掷玩耍，总不如人家活泼勇健。在小学里读书，一次盘杠子跌下地来，用药方才复苏，以后更不敢轻试。在中学时，常常看着同学打球踢球，而不能参加。人家打罢踢罢了，我方敢一个人来试一试。又因为爱用思想，神情颜色皆不像一个少年。同学给我一个外号"小老哥"——广东人呼小孩原如此的；但北京人说来，则是嘲笑话了。

　　却不料后来，年纪长大，我倒很少生病。三十岁以后，愈见坚实；寒暖饥饱，不以为意。素食至今满三十年，亦没有什么营养不足问题。每闻朋友同侪或患遗精，或患痔血，或胃病，或脚气病；在我一切都没有。若以体质精力来相较，反而为朋辈所不及。久别之友，十几年以至二十几年不相见者，每都说我现在还同以前一个样子，不见改变。因而人多称赞我有修养。其实，我亦不知道我有什么修养。不过平生嗜欲最淡，一切无所好。同时，在生活习惯上，比较旁人多自知注意一点罢了。

小时候，我不但孱弱，并且很呆笨的。约摸六岁了，自己还不会穿裤子。因裤上有带条，要从背后系引到前面来，打一结扣，而我不会。一次早起，母亲隔屋喊我，为何还不起床。我大声气愤地说：妹妹不给我穿裤子呀！招引得家里人都笑了。原来天天要妹妹替我打这结扣才行。

十岁前后，在小学里的课业成绩，比一些同学都较差。虽不是极劣，总是中等以下。到十四岁入中学，我的智力及见发达；课业成绩间有在前三名者。大体说来，我只是平常资质，没有过人之才。在学校时，不算特别勤学；出学校后，亦未用过苦功。只平素心理上，自己总有对自己的一种要求，不肯让一天光阴随便马虎过去。

四　经过两度家塾、四个小学

我于六岁开始读书,是经一位孟老师在家里教的。那时课儿童,入手多是《三字经》、《百家姓》,取其容易上口成诵。接着就要读四书五经了。我在《三字经》之后,即读《地球韵言》,而没有读四书。《地球韵言》一书,现在恐已无处可寻得。内容多是一些欧罗巴、亚细亚、太平洋、大西洋之类;作于何人,我亦记不得了。

说起来好似一件奇事,就是我对于四书五经至今没有诵读过,只看过而已。这在同我一般年纪的人是很少的。不读四书,而读《地球韵言》,当然是出于我父亲的意思。他是距今四十五年前,不主张儿童读经的人。这在当时自是一破例的事。为何能如此呢?大约由父亲平素关心国家大局,而中国当那些年间恰是外侮日逼。例如:

> 清咸丰十年（1860）英法陷天津，清帝避走热河。
>
> 清光绪十年（1884）中法之战，安南（今越南）被法国占去。
>
> 又光绪十二年（1886）缅甸被英国侵占。
>
> 又光绪二十年（1894）中日之战，朝鲜被日本占去。
>
> 又光绪二十一年（1895）台湾割让日本。
>
> 又光绪二十三年（1897）德国占胶州湾（今青岛）。
>
> 又光绪二十四年（1898）俄国强索旅顺、大连。

在这一串事实之下，父亲心里激动很大。因此他很早倾向变法维新。在他的日记中有这样一段话：

> 却有一种清流所鄙，正人所斥，洋务西学新出各书，断不可以不看。盖天下无久而不变之局，我只力求实事，不能避人讥讪也。（光绪十年四月初六日日

记,"论读书次第缓急")

到光绪二十四年,就是我开蒙读书这一年,正赶上光绪帝变法维新。停科举、废八股,皆他所极端赞成;不必读四书,似基于此。只惜当时北京尚无学校可入。而《地球韵言》则是便于儿童上口成诵,四字一句的韵文,其中略说世界大势,就认为很合用了。

次年我七岁,北京有第一个"洋学堂"(当时市井人都如此称呼)出现,父亲便命我入学。这是一位福建陈先生(镛)创办的,名曰"中西小学堂"。现在看来,这名称似乎好笑。大约当时系因其既念中文,又念英文之故。可惜我从那幼小时便习英文而到现在亦没有学得好。

八岁这一年,英文念不成了。这年闹"义和团"——后来被称为拳匪——专杀信洋教(基督教)或念洋书之人。我们只好将《英文初阶》、《英文进阶》(当时课本)一齐烧毁。后来因激起欧美、日本八国联军入北京,清帝避走陕西,历史上称为"庚子之变"。

庚子变后,新势力又抬头,学堂复兴。九岁,我入"南横街公立小学堂"读书。十岁,改入"蒙养学堂",读到十一岁。十二岁、十三岁，又改在家里读书，是联合几家亲戚的儿童，请一位奉天刘先生（讷）教的。十三岁下半年到十四岁上半年，又进入"江苏小学堂"；——这是江苏旅居北京同乡会所办。

因此，我在小学时代前后经过两度家塾、四个小学。这种求学得不到安稳顺序前进，是与当时社会之不安、学制之无定，有关系的。

五　从课外读物说到我的一位父执

我的自学，最得力于杂志报纸。许多专门书或重要典籍之阅读，常是从杂志报纸先引起兴趣和注意，然后方觅它来读的。即如中国的经书以至佛典，亦都是如此。他如社会科学各门的书，更不待言。因为我所受学校教育，以上面说的小学及后面说的中学而止；而这些书典都是课程里没有的。同时我又从来不勉强自己去求学问，做学问家；所以非到引起兴趣和注意，我不去读它的。——我之好学是到真"好"才去"学"的。而对某方面学问之兴趣和注意，总是先借杂志报纸引起来。

我的自学作始于小学时代。奇怪的是在那样新文化初初开荒时候，已有人为我准备了很好的课外读物。这是一种《启蒙画报》和一种《京话日报》。创办人是我的一位父执，而且是对于我关系深切的一位父执。他的事必须说一说。

他是彭翼仲先生（诒孙），苏州人而长大在北京。祖卜状元宰相，为苏州世家巨族。他为人豪侠勇敢；其慷爽尤可爱。论体魄，论精神，俱不似苏州人，却能说苏州话。他是我的谱叔；因他与我父亲结为兄弟之交，而年纪小于我父。他又是我的姻丈，因我大哥是他的女婿，他的长女便是我的长嫂。他又是我的老师，因前说之"蒙养学堂"就是他主办的，我在那里从学于他。

从他的脾气为人（豪侠勇敢）和环境机缘（家住江南、邻近上海得与外面世界相通），就使他必然成为一个爱国志士、维新先锋。距今四十年前（1902），他在当时全国首都——北京——创办了第一家报纸。严格讲，它是第二家；1901年先有《顺天时报》出版，但《顺天时报》完完全全为日本人所办。就中国人自办者说，它是第一家；广东人朱淇所办《北京日报》为第二家。当时草创印刷厂，还是请来日本工人做工头的。"蒙养学堂"和报馆印刷厂都在一个大门里，内部亦相通。我们小学生常喜欢去看他们印刷排版。

彭公手创报纸，共计三种。我所受益的是《启蒙画报》；影响于北方社会最大的，乃是《京话日报》；使他自身得祸的，则是《中华报》。

《启蒙画报》最先出版。他给十岁上下的儿童阅看的。内容主要是科学常识，其次是历史掌故、名人轶事，再则如"伊索寓言"一类的东西亦有；却少有今所谓"童话"者。例如天文、地理、博物、格致（"格物致知"之省文，当时用为物理、化学之总名称）、算学等各门都有。全是白话文，全有图画（木板雕刻无彩色）。而且每每将科学撰成小故事来说明。讲到天象，或以小儿不明白，问他的父母，父母如何解答来讲。讲到蚂蚁社会，或用两兄弟在草地上玩耍所见来讲。算学题以一个人做买卖来讲。诸如此类，儿童极其爱看。历史如讲太平天国，讲"平定"新疆等等。就是前二年的"庚子变乱"，亦作为历史，剖讲甚详。名人轶事如司马光、范仲淹很多古人的事，以至外国如拿破仑、华盛顿、大彼得、俾斯麦、西乡隆盛等等都有。那便是长篇连载的故事了。图画为永清刘炳堂（用烺）所绘。刘先生极有绘画天才，而不是旧日文人所讲究之一派，没有学过西洋画，而他自得西画写实之妙，所画西洋人尤有神肖，无须多笔细描而形相逼真。计出版首尾共有两年之久。我从那里面不但得了许多常识，并且启发我胸中很多道理，一直影响我到后来。我觉得近若干年所出儿童画报,都远不及它。

《启蒙画报》出版不久,就从日刊改成旬刊(每册约三十多页),而别出一小型日报,就是《京话日报》。内容主要是新闻和论说。新闻以当地(北京)社会新闻占三分之二,还有三分之一是"紧要新闻",包括国际国内重大事情。论说多半指摘社会病痛,或鼓吹一种社会运动,甚有推动力量,能发生很大影响,绝无敷衍篇幅之作。它以社会一般人为对象,而不是给"上流社会"看的。因为是白话,所以我们儿童亦能看,只不过不如对《启蒙画报》之爱看。

当时风气未开,社会一般人都没有看报习惯。虽取价低廉,而一般人家总不乐增此一种开支。两报因此销数都不多。而报馆全部开支却不小。自那年(1902)春天到年尾,从开办设备到经常费用,彭公家产已赔垫干净,并且负了许多债。年关到来,债主催逼,家中妇女怨谪,彭公忧煎之极,几乎上吊自缢。本来创办之初,我父亲实赞助其事,我家财物早已随着赔送在内;此时还只有我父亲援救他。后来从父亲日记和银钱折据上批注中,见出当时艰难情形和他们做事动机之纯洁伟大。——他们一心要开发民智,改良社会。这是由积年对社会腐败之不满,又加上庚子(1900年)亲见全国上下愚蠢迷信不知世界大势，几乎招取亡国大祸，所激动的。

这事业屡次要倒闭，终经他们坚持下去，最后居然得到亨通。到第三年，报纸便发达起来了。然主要还是由于鼓吹几次运动，报纸乃随运动之扩大而发达。一次有东交民巷（各国使馆地界）一个外国兵，欺侮中国穷民，坐人力车不给钱；车夫索钱，反被打伤。《京话日报》一面在新闻栏详记其事，一面连日著论表示某国兵营如何要惩戒要赔偿才行，并且号召所有人力车夫联合起来，事情不了结，遇见某国兵就不给车子乘坐。事为某国军官所闻，派人来报馆查询，要那车夫前去质证。那车夫胆小不敢去；彭公即亲自送他去。某国军官居然惩戒兵丁而赔偿车夫。此事虽小，而街谈巷议，轰动全城，报纸销数随之陡增。一次美国禁止华工入境，并对在美华工苛刻；《京话日报》就提倡抵制美货运动。我还记得我们小学生亦在通衢闹市散放传单，调查美货等等。此事在当时颇为新颖，人心殊见振奋，运动亦扩延数月之久。还有一次反对英属非洲虐待华工，似在这以前，但没有这次运动热烈。最大一次运动，是"国民捐运动"。这是由报纸著论，引起读者来函讨论，酝酿颇久而后发动的。大意是为庚子赔款四万万两，分年偿付，为期愈延久，本息累积愈大；迟早总是要国民负担，不如国民自动一次拿出来。以全国四万万人口计算，刚好每人出一两银子，就可以成功。这与后来民国初建时，南京留守黄克强（兴）先生所倡之"爱国捐"，大致相似。此时报纸销路已广，其言论主张已屡得社会拥护。再标出这大题目来，笼罩到每一个人身上，其影响之大真是空前。自车夫小贩、妇女儿童、工商百业以至文武大臣、皇室亲王，无不响应。后因彭公获罪，此事就消沉下去。然至辛亥革命时，在大清银行（今中国银行之前身）尚存有国民捐九十几万银两。计算捐钱的人数，要在几百万以上。

报纸的发达，确是可惊。不看报的北京人，几乎变得家家看报，而且发展到四乡了。北方各省各县，都传播到，像奉天黑龙江（东）、陕西甘肃（西）那么远。同时亦惊动了清廷。西太后和光绪帝都遣内侍传旨下来，要看这报。其所以这样发达，亦是有缘故的。因这报纸的主义不外一是维新，一是爱国；浅近明白正切合那时需要。社会上有些热心人士，自动帮忙，或多购报纸沿街张贴，或出资设立"阅报所"、"讲报处"之类。还有被人呼为"醉郭"的一位老者，原以说书卖卜为生。他改行，专门讲报，作义务宣传员。其他类此之事不少。

《中华报》最后出版。这是将《启蒙画报》停了，才出不知世界大势，几乎招取亡国大祸，所激动的。

这事业屡次要倒闭，终经他们坚持下去，最后居然得到亨通。到第三年，报纸便发达起来了。然主要还是由于鼓吹几次运动，报纸乃随运动之扩大而发达。一次有东交民巷（各国使馆地界）一个外国兵，欺侮中国穷民，坐人力车不给钱；车夫索钱，反被打伤。《京话日报》一面在新闻栏详记其事，一面连日著论表示某国兵营如何要惩戒要赔偿才行，并且号召所有人力车夫联合起来，事情不了结，遇见某国兵就不给车子乘坐。事为某国军官所闻，派人来报馆查询，要那车夫前去质证。那车夫胆小不敢去；彭公即亲自送他去。某国军官居然惩戒兵丁而赔偿车夫。此事虽小，而街谈巷议，轰动全城，报纸销数随之陡增。一次美国禁止华工入境，并对在美华工苛刻；《京话日报》就提倡抵制美货运动。我还记得我们小学生亦在通衢闹市散放传单，调查美货等等。此事在当时颇为新颖，人心殊见振奋，运动亦扩延数月之久。还有一次反对英属非洲虐待华工，似在这以前，但没有这次运动热烈。最大一次运动，是"国民捐运动"。这是由报纸著论，引起读者来函讨论，酝酿颇久而后发动的。大意是为庚子赔款四万万两，分年偿付，为期愈延久，本息累积愈大；迟早总是要国民负担，不如国民自动一次拿出来。以全国四万万人口计算，刚好每人出一两银子，就可以成功。这与后来民国初建时，南京留守黄克强（兴）先生所倡之"爱国捐"，大致相似。此时报纸销路已广，其言论主张已屡得社会拥护。再标出这大题目来，笼罩到每一个人身上，其影响之大真是空前。自车夫小贩、妇女儿童、工商百业以至文武大臣、皇室亲王，无不响应。后因彭公获罪，此事就消沉下去。然至辛亥革命时，在大清银行（今中国银行之前身）尚存有国民捐九十几万银两。计算捐钱的人数，要在几百万以上。

报纸的发达，确是可惊。不看报的北京人，几乎变得家家看报，而且发展到四乡了。北方各省各县，都传播到，像奉天黑龙江（东）、陕西甘肃（西）那么远。同时亦惊动了清廷。西太后和光绪帝都遣内侍传旨下来，要看这报。其所以这样发达，亦是有缘故的。因这报纸的主义不外一是维新，一是爱国；浅近明白正切合那时需要。社会上有些热心人士，自动帮忙，或多购报纸沿街张贴，或出资设立"阅报所"、"讲报处"之类。还有被人呼为"醉郭"的一位老者，原以说书卖卜为生。他改行，专门讲报，作义务宣传员。其他类此之事不少。

《中华报》最后出版。这是将《启蒙画报》停了，才出的。在版式上，不是单张的而是成册的。内容以论政为主，文体是文言文。这与《京话日报》以"大众"为对象的，当然不同了。似乎当年彭公原无革命意识，而此报由其妹婿杭辛斋先生（慎修，海宁人）主笔，他却算是革命党人。我当时学力不够看这个报，对它没有兴趣，所以现在不大能记得其言论主张如何。

到光绪三十二年（1907），《中华报》出版有一年半以上，《京话日报》则届第五年，清政府逮捕彭、杭二公并封闭报馆。其实彭公被捕，此已是第二次；不过在我的自学史内不必叙他太多了。这次罪名，据巡警部（如今之内政部）上奏清廷，是"妄论朝政、附和匪党"。杭公定罪是递解回籍，交地方官严加管束；彭公是发配新疆，监禁十年。其内幕真情，是为袁世凯在其北洋营务处（如今之军法处）秘密诛杀党人，《中华报》予以揭出之故。

后来革命，民国成立，举行大赦，彭公才得从新疆回来。《京话日报》于是恢复出版。不料袁世凯帝制，彭公不肯附和，又被封闭。袁倒以后再出版。至民国十年，彭公病故，我因重视它的历史还接办一个时期。

六 自学的根本

在上面叙述了我的父亲，又叙述了我的一位父执。这是意在叙明我幼年之家庭环境和最切近之社会环境。关于这环境方面，以上只是扼要叙述，未能周详。例如我母亲之温厚明通，赞助我父亲和彭公的维新运动，并提倡女学，自己参加北京初创第一间女学校"女学传习所"并担任教员等类事情都未及说到。然读者或亦不难想象得之。就从这环境中，给我种下了自学的根本：一片向上心。

一面是从父亲和彭公他们的人格感召，使幼稚的心灵隐然萌露对社会对国家的责任感，而鄙视那般世俗谋衣食、求利禄的"自了汉"生活。更一面是从那维新前进的空气中，自具一种迈越世俗的见识主张，使我意识到世俗之人虽不必是坏人，但缺乏眼光见识，那就是不行的；因此，一个人必须力争上游。倾所谓一片向上心，大抵在当时便是如此。

这种心理，可能有其偏弊；至少不免流露一种高傲神情。若从好的一方面来说，这里面固含蓄得一点正大之气和一点刚强之气。——我不敢说得多，但至少各有一点点。我自省我终身受用者，似乎在此。

特别是自十三四岁开始，由于这向上心，我常有自课于自己的责任；不论何事，很少需要人督迫。并且有时某些事，觉得不合我意见，虽旁人要我做，我亦不做。固然十岁时爱看《启蒙画报》、《京话日报》，几乎成瘾，已算是自学，但真的自学，必从这里（向上心）说起。所谓自学应当就是一个人整个生命的向上自强，要紧在生活中有自觉。单是求知识，却不足以尽自学之事。在整个生命向上自强之中，可以包括了求知识，求知识盖所以浚发我们的智慧识见；它并不是一种目的。有智慧识见发出来，就是生命向上自强之效验，就是善学。假若求知识以致废寝忘食，身体精神不健全，甚至所知愈多头脑愈昏，就不得善学。有人说"活到老，学到老"一句话，这观念最正确。这个"学"显然是自学，同时这个"学"显然就是在说一切做人做事而不止于求些知识。

自学最要紧是在生活中有自觉。读书不是第一件事，第一件事,却是照顾自己身体而如何善用它,——用它来做种种事情,读书则其一种。可惜这个道理,我只在今天乃说得出,当时亦不明白的。所以当时对自己身体照顾不够,例如:爱静中思维,而不注意身体应当活动;饮食、睡眠、工作三种时间没有好的分配调整;不免有少年斫丧身体之不良习惯(手淫)。所幸者,从向上心稍知自爱,还不是全然不照顾它。更因为有一点正大刚强之气,耳目心思向正面用去,下流毛病自然减少。我以一个孱弱多病的体质,到后来慢慢转强,很少生病,精力且每比旁人略优;其故似不外:

一、我虽讲不到修养,然于身体少斫丧少浪费;虽至今对于身体仍愧照顾不够,但似比普通人略知照顾。

二、胸中恒有一股清刚之气,使外面病邪好像无隙可乘。——反之,偶尔患病,细细想来总是先由自己生命失其清明刚劲、有所疏忽而致。

又如我自幼呆笨,几乎全部小学时期皆不如人;自十四岁虽变得好些,亦不怎样聪明。讲学问又无根底。乃后来亦居然滥厕学者之林,终幸未落于庸劣下愚,倒反受到社会的过奖过爱。此其故,要亦不外:

一、由于向上心,自知好学,虽没有用过苦功,亦从不上游。倾所谓一片向上心，大抵在当时便是如此。

这种心理，可能有其偏弊；至少不免流露一种高傲神情。若从好的一方面来说，这里面固含蓄得一点正大之气和一点刚强之气。——我不敢说得多，但至少各有一点点。我自省我终身受用者，似乎在此。

特别是自十三四岁开始，由于这向上心，我常有自课于自己的责任；不论何事，很少需要人督迫。并且有时某些事，觉得不合我意见，虽旁人要我做，我亦不做。固然十岁时爱看《启蒙画报》、《京话日报》，几乎成瘾，已算是自学，但真的自学，必从这里（向上心）说起。所谓自学应当就是一个人整个生命的向上自强，要紧在生活中有自觉。单是求知识，却不足以尽自学之事。在整个生命向上自强之中，可以包括了求知识，求知识盖所以浚发我们的智慧识见；它并不是一种目的。有智慧识见发出来，就是生命向上自强之效验，就是善学。假若求知识以致废寝忘食，身体精神不健全，甚至所知愈多头脑愈昏，就不得善学。有人说"活到老，学到老"一句话，这观念最正确。这个"学"显然是自学，同时这个"学"显然就是在说一切做人做事而不止于求些知识。

自学最要紧是在生活中有自觉。读书不是第一件事，第一件事,却是照顾自己身体而如何善用它。——用它来做种种事情,读书则其一种。可惜这个道理,我只在今天乃说得出,当时亦不明白的。所以当时对自己身体照顾不够,例如:爱静中思维,而不注意身体应当活动;饮食、睡眠、工作三种时间没有好的分配调整;不免有少年斲丧身体之不良习惯(手淫)。所幸者,从向上心稍知自爱,还不是全然不照顾它。更因为有一点正大刚强之气,耳目心思向正面用去,下流毛病自然减少。我以一个孱弱多病的体质,到后来慢慢转强,很少生病,精力且每比旁人略优;其故似不外:

一、我虽讲不到修养,然于身体少斲丧少浪费;虽至今对于身体仍愧照顾不够,但似比普通人略知照顾。

二、胸中恒有一股清刚之气,使外面病邪好像无隙可乘。——反之,偶尔患病,细细想来总是先由自己生命失其清明刚劲、有所疏忽而致。

又如我自幼呆笨,几乎全部小学时期皆不如人;自十四岁虽变得好些,亦不怎样聪明。讲学问又无根底。乃后来亦居然滥厕学者之林,终幸未落于庸劣下愚,倒反受到社会的过奖过爱。此其故,要亦不外:

一、由于向上心,自知好学,虽没有用过苦功,亦从不偷懒。

二、环境好,机缘巧,总让我自主自动地去学,从没有被动地读过死书,或死读书。换句话说,无论旧教育(老式之书房教育)或新教育(欧美传来之学校教育)其毒害唯我受得最少。

总之,向上心是自学的根本;而所有今日的我,皆由自学得来。古书《中庸》上有"虽愚必明,虽柔必强"两句话,恰好借用来说我个人的自学经过(原文第二句不指身体而言,第一句意义亦较专深,故只算借用)。

七　五年半的中学

我于十四岁那一年（1906）的夏天，考入"顺天中学堂"（地址在地安门外兵将局）。此虽不是北京最先成立的一间中学，却是与那最先成立的"五城中学堂"为兄弟者。"五城"指北京的城市；"顺天"指顺天府（京兆）。福建人陈璧，先为五城御史，创五城中学；后为顺天府尹，又设顺天中学。两个学堂的洋文总教习，同由王劭廉先生（天津人，与伍光建同留学英国海军）担任。汉文教习以福建人居多，例如五城以林纾（琴南）为主，我们则以一位跛腿陈先生（忘其名）为主。

当时以初设学校，学科程度无一定标准。许多小学比今日中学程度还高，而那时的中学与大学似亦颇难分别。我的同班同学竟有年纪长我近一倍者；——我十四岁，他二十七岁。有好多同学虽与我们年纪小的同班受课，其实可以为我们的老师而有余。他们诗赋、古文词、四六骈体文，都作得很好；进而讲求到"选学"（《昭明文选》）。不过因为求出路（贡生、举人、进士）非经过学堂不可；有的机会凑巧得入大学，有的不巧就入中学了。

今日学术界知名之士，如张申府（崧年）、汤用彤（锡予）各位，皆是我的老同学。论年级，他们尚稍后于我；论年龄，则我们三人皆相同。我在我那班级上是年龄最小的。

当时学堂里读书，大半集中于英、算两门。学生的精力和时间，都用在这上边。年长诸同学，很感觉费力；但我于此，亦曾实行过自学。在我那班上有四个人，彼此很要好。一、廖福申（慰慈，福建），二、王毓芬（梅庄，北京），三、姚万里（伯鹏，广东），四、就是我。我们四个都是年纪最小的；——廖与王稍长一两岁。在廖大哥领导之下，我们曾结合起来自学。

这一结合，多出于廖大哥的好意。他看见年小同学爱玩耍不知用功，特来勉励我们。以那少年时代的天真，结合之初，颇具热情。我记得经过一阵很起劲的谈话以后，四个人同出去，到酒楼上吃螃蟹，大喝其酒。廖大哥提议彼此相称不用

"大哥"、"二哥"、"三哥",那些俗气;而主张以每个人的短处标出字来,作为相呼之名,以资警惕。大家都赞成此议,就请他为我们一个个命名。他给王的名字,是"懦";给姚的名字,是"暴";而我的就是"傲"了。真的,这三个字都甚恰当。我是"傲",不必说了。那王确亦懦弱有些妇人气;而姚则以赛跑跳高和足球擅长,原是一粗的体育大家。最后,他自名为"惰"。这却太谦了。他正是最勤学的一个呢!此大约因其所要求于自己的,总感觉不够之故,而从他自谦其惰,正可见出其勤来了。

那时每一班有一专任洋文教习,所有这一班的英文、数学、外国地理都由他以英文原本教授。这些位洋文教习,全是天津水师学堂出身,为王劭廉先生的门徒。我那一班是位吕先生(富永)。他们秉承王先生的规矩,教课认真,做事有军人风格。当然课程进行得并不慢。但我们自学的进度,总还是超过他所教的。如英文读本 Carpenters Reader(亚洲之一本),先生教到全书的一半时,廖已读完全书,我亦能读到三分之二。《纳氏英文文法》,先生教第二册未完,我与廖已研究第三册了。代数、几何、三角各书,经先生开一个头,廖即能自学下去,无待于先生教了。我赶不上他那样快,但经他携带,总亦走在先生教的前边。廖对于习题一个个都做;其所做算草非常清楚整齐悦目,我便不行了;本子上很多涂改,行款不齐,字迹潦草。比他显得忙乱,而进度反在他之后。廖自是一天才,非平常人之所及①。然从当年那些经验上,使我相信没有不能自学的功课。

同时廖还注意国文方面之自学。他在一个学期内,将一部《御批通鉴辑览》圈点完毕。因其为洋版书(当时对于木版书外之铜印、铅印、石印各书均作此称)字小,而每天都是在晚饭前划出一点时间来做的,天光不足。所以到圈点完工,眼睛变得近视了。这是他不晓得照顾身体,很可惜的。这里我与他不同。我是不注意国文方面的。国文讲义我照例不看;国文先生所讲,我照例不听。我另有我所用的功夫,如后面所述,而很少看中国旧书。但我国文作文成绩还不错;偶然亦被取为第一名。我总喜欢作翻案文章,不肯落俗套。有时能出奇制胜,有时亦多半失败。记得一位七十岁的王老师十分恼恨我。他在我作文卷后,严重地批着"好恶拂人之性,灾必逮夫身"的

---

① 廖君后来经清华送出游美学铁路工程,曾任国内各大铁路工程师。——著者

批语。而后来一位范先生偏赏识我。他给我的批语,却是"语不惊人死不休"。

十九岁那一年(1911)冬天,我们毕业。前后共经五年半之久。本来没有五年半的中学制度,这是因为中间经过一度学制变更,使我们吃亏。

八　中学时期之自学

在上面好像已叙述到我在中学时之自学，如自学英文、数学等课，但我所谓自学尚不在此。我曾说了：

> 由于向上心，我常有自课于自己的责任，不论什么事很少要人督迫。……真的自学，必从这里说起。
> 自学就是一个人整个生命的向上自强，要紧在生活中有自觉。

所有上节所述只是当年中学里面一些应付课业的情形，还没有当真说到我的自学。

真的自学，是由于向上心驱使我在两个问题上追求不已：一、人生问题；二、社会问题，亦可云中国问题。此两个问题互有关联之处,不能截然分开,但仍以分别言之为方便。从人生问题之追求,使我出入于西洋哲学、印度宗教、中国周秦宋明诸学派间,而被人看作是哲学家。从社会问题之追求,使我参加了中国革命,并至今投身社会运动。今届五十之年,总论过去精力,无非用在这两问题上面;今后当亦不出乎此。而说到我对此两问题如何追求,则在中学时期均已开其端。以下略述当年一些事实。

我很早有我的人生思想。约十四岁光景,我胸中已有了一价值标准,时时评判一切人和一切事。这就是凡事看它于人有没有好处和其好处的大小。假使于群于己都没有好处,就是一件要不得的事了。掉转来,若于群于己都有顶大好处,便是天下第一等事。以此衡量一切并解释一切,似乎无往不通。若思之偶有扞格窒碍,必辗转求所以自圆其说者。一旦豁然复有所得,便不禁手舞足蹈,顾盼自喜。此时于西洋之"乐利主义"、"最大多数幸福"、"实用主义"、"工具主义"等等,尚无所闻。却是不期而然,恰与西洋这些功利派思想相近。

这思想,显然是受先父的启发。先父虽读儒书,服膺孔孟,实际上其思想和为人乃有极像墨家之处。他相信中国积弱全为念书人专务虚文,与事实隔得太远之所误。因此,平素最看不起做诗词做文章的人，而标出"务实"二字为讨论任何问题之一贯的主张。务实之"实"，自然不免要以"实用"、"实利"为其主要涵义。而专讲实用实利之结果，当然流归到墨家思想。不论大事小事，这种意思在他一言一动之间到处流露贯彻。其大大影响到我，是不待言的。

不过我父只是有他的思想见解而止；他对于哲学并没有兴趣。我则自少年时便喜欢用深思，所以就由这里追究上去，究竟何谓"有好处"？那便是追究"利"和"害"到底何所指？必欲分析它、确定它。于是就引到苦乐问题上来。又追究到底何谓苦、何谓乐？对于苦乐的研究，是使我深入中国儒家、印度佛家的钥匙，颇为重要。后来所作《究元决疑论》①中，有论苦乐的一段尚可见一斑。而这一段话，却完全是十六七岁在中学时撰写的旧稿。在中学里，时时沉溺在思想中，亦时时记录其思想所得。这类积稿当时甚多，现在无存。

然在当时感受中国问题的刺激，我对中国问题的热心似又远过于爱谈人生问题。这亦为当时在人生思想上，正以事功为

---

① 《究元决疑论》为二十四岁作，刊于《东方杂志》，后收为"东方文库"之一单行小册。——著者

尚之故。

当时——光绪末年宣统初年——正亦有当时的国难。当时的学生界，亦曾激于救国热潮而有自请练学生军的事，如"九一八"后各地学生之所为者。我记得我和同班同学雷国能兄，皆以热心这运动被推为代表，请求学堂监督给我们特聘军事教官，并发给枪支，于正课外加练军操。此是一例；其他像这类的事，当然很多。

为了救国，自然注意政治而要求政治改造。像民主和法治等观念，以及英国式的议会制度、政党政治，早在卅五年前成为我的政治理想。后来所作《我们政治上第一个不通的路——欧洲近代民主政治的路》①，其中诠释近代政治的话，还不出中学时那点心得。——那时对于政治自以为是大有心得的。

---

① 此文见于《中国民族自救运动之最后觉悟》，中华书局出版。——著者

九　自学资料及当年师友

　　无论在人生问题上或在中国问题上，我在当时已能取得住在北中国内地的人所可能有的最好自学资料。我拥有梁任公先生主编之《新民丛报》壬寅、癸卯、甲辰三整年六巨册，和同时他编的《新小说》（杂志月刊）全年一巨册（以上约共五六百万言）。——这都是从日本传递进来的。还有其他从日本传递进来的或上海出版的，书报甚多。此为初时（1907年）之事。稍后（1910年后）更有立宪派之《国风报》（旬刊或半月刊？在日本印行），革命派之上海《民主报》（日报），按期收阅。——这都是当时内地寻常一个中学生，所不能有的丰富资财。

　　《新民丛报》一开头有任公先生著的"新民说"；他自署即曰"中国之新民"。这是一面提示了新人生观，又一面指出中国社会应该如何改造的；恰恰关系到人生问题中国问题的双方，切合我的需要，得益甚大。任公先生同时在报上有许多介绍外国某家某家学说的著作，使我得以领会近代西洋思想不少。他还有关于古时周秦诸子以至近世明清大儒的许多论述，意趣新而笔调健，皆足以感发人。此外有《德育鉴》一书，以立志、省察、克己、涵养等分门别类，辑录先儒格言（以宋明为多），而任公自加按语跋识。我对于中国古人学问之最初接触，实资于此。虽然现在看来，这书是无足取的，然而在当年却给我的助益很大。这助益，是在生活上，不徒在思想上。

《新民丛报》除任公先生自作文章约占十分之二外，还有其他人如蒋观云先生（智由）等人的许多文章，和国际国内时事记载等，约居十分之八，亦甚重要。这些能助我系统地了解当日时局大势之过去背景。因其所记壬寅、癸卯、甲辰（1902—1904）之事正在我读它时（1907—1909）之前也。由于注意时局，所以每日报纸如当地之《北京日报》、《顺天时报》、《帝国日报》等，外埠之《申报》、《新闻报》、《时报》等，都是我每天必不可少的读物。谈起时局来，我都很清楚，不像普通一个中学生。

《国风报》上以谈国会制度、责任内阁制度、选举制度、预算制度等文章为多；其他如国库制度、审计制度，乃至银行货币等问题，亦常谈到。这是因为当时清廷筹备立宪，各省咨议局亦有联合请愿开国会的运动，各省督抚暨驻外使节在政治上亦有许多建议，而梁任公一派人隐然居于指导地位，即以《国风报》为其机关报。我当时对此运动亦颇热心，并且学习了近代国家法制上许多知识。

革命派的出版物，不如立宪派的容易得到手。然我终究亦得到一些。有《立宪派与革命派之论战》一厚册，是将梁任公和胡汉民（展堂）、汪精卫等争论中国应行革命共和抑行君主立宪的许多文章，搜集起来合印的；我反复读之甚熟。其他有些宣传品主于煽动排满感情的，我不喜读。

自学条件，书报资料固然重要，而朋友亦是重要的。在当时，我有两个朋友必须说一说。

一是郭人麟（一作仁林），字晓峰，河北乐亭县人。他年长于我两岁，而班级则次于我。并且他们一班，是学法文的；我们则学英文。因此虽为一校同学，朝夕相见，却无往来。郭君颜貌如好女子，见者无不惊其美艳，而气敛神肃，眉宇间若有沉忧；我则平素自以为是，亦复神情孤峭。彼此一直到第三年方始交谈。但经一度交谈之后，竟使我思想上发生极大变化。

我那时自负要救国救世，建功立业，论胸襟气概似极其不凡；实则在人生思想上，是很浅陋的。对于人生许多较深问题，根本未曾理会到。对于古今哲人高明一些的思想，不但未加理会，并且拒绝理会之。盖受先父影响，抱一种狭隘功利见解，重事功而轻学问。具有实用价值的学问，还知注意；若文学，若哲学，则直认为误人骗人的东西而排斥它。对于人格修养的学问，感受《德育鉴》之启发，固然留意；但意念中却认为"要做大事必须有人格修养才行"，竟以人格修养作方法手段看了。似此偏激无当浅薄无根的思想，早应当被推翻。无如一般人多半连这点偏激浅薄思想亦没有。尽他们不同意我，乃至驳斥我，其力量却不足以动摇我之自信。恰遇郭君，天资绝高，思想超脱，虽年不过十八九而学问几如老宿。他于老、庄、易经、佛典皆有心得，而最喜欢谭嗣同的"仁学"。其思想高于我，其精神亦足以笼罩我。他的谈话，有时嗤笑我，使我惘然如失；有时顺应我要做大事业的心理而诱进我，使我心悦诚服。我崇拜至极，尊为郭师，课暇就去请教，记录他的谈话订成一巨册，题曰"郭师语录"。一般同学多半讥笑我们，号之为"梁贤人、郭圣人"。

自与郭君接近后，我一向狭隘的功利见解为之打破，对哲学始知尊重；在我的思想上，实为一绝大转进。那同时还有一位同学陈子方，年纪较我们都大，班级亦在前，与郭君为至好。我亦因郭而亲近之。他的思想见解、精神气魄，在当时亦是高于我的，我亦同受其影响。现在两君都不在人世①。

另一朋友是甄元熙，字亮甫，广东台山县人②。他年纪约长我一二岁，与我为同班，却是末后插班进来的。本来陈与郭在中国问题上皆倾向革命，但非甚积极。甄君是从（1910年）广州、上海来北京的，似先已与革命派有关系。我们彼此同是对时局积极的，不久成了很好的朋友。

但彼此政见不大相同。甄君当然是革命派。我只热心政治改造，而不同情排满。在政治改造上，我又以英国式政治为理想，否认君主国体、民主国体在政治改造上有什么等差不同。转而指摘民主国，无论为法国式（内阁制），抑美国式（总统

---

① 陈故去约二十多年，知其人者甚少。郭与李大钊（守常）为乡亲，亦甚友好，因曾在北大图书馆做事。张绍曾为国务总理时，曾一度引为国务院秘书。今故去亦有十年。——著者

② 甄君民国八九年间在广东曾任大元帅府秘书，后来去国到美洲，今似在旧金山办报。——著者

制），皆不如英国政治之善。——此即后来辛亥革命中，康有为所倡"虚君共和论"。在政治改造运动上，我认为可以用种种手段，而莫妙于俄国虚无党人的暗杀办法。这一面是很有效的，一面又破坏不大，免遭国际干涉。这些理论和主张，不待言是从立宪派得来的；然一点一滴皆经过我的往复思考，并非一种学舌。我和甄君时常以此作笔战，亦仿佛梁（任公）、汪（精卫）之所为；不过他们在海外是公开的，我们则不敢让人知道。

后来清廷一天一天失去人心，许多立宪派人皆转而为革命派，我亦是这样。中学毕业期近，而武昌起义；到处人心奋动，我们在学堂里更呆不住。其时北京的和天津的保定的学生界秘密互有联络，而头绪不一。适清廷释放汪精卫。汪一面倡和议，一面与李石曾、魏宸组、赵铁桥等暗中组织京津同盟会。甄君同我即参加其中，是为北方革命团体之最大者。所有刺良弼，刺袁世凯和在天津暴动的事，皆出于此一组织。

十　初入社会

　　按常规说，一个青年应当是由"求学"到"就业"；但在近几十年的中国青年，却每每是由"求学"而"革命"。我亦是其中之一个。我由学校出来，第一步踏入广大社会，不是就了某一项职业而是参加革命。

　　因为青年是社会的未成熟分子，其所以要求学，原是学习着如何参加社会，为社会之一员，以继成熟分子之后。却不料其求了学来革命。革命乃是改造社会。试问参加它尚虞能力不足，又焉得有改造它的能力？他此时缺乏社会经验，对于社会只有虚见（书本上所得）和臆想，尚无认识。试问认识不足，又何从谈到怎样改造呢？这明明是不行的事！无奈中国革命不是社会内部自发的革命，缺乏如西洋那种第三阶级或第四阶级由历史孕育下来的革命主力。中国革命只是最先感受到世界潮流产新学份了对旧派之争,全靠海外和沿海一带传播进来的世界思潮,以激动起一些热血青年。所以天然就是一种学生革命。幼稚、错识、失败都是天然不可免的事,无可奈何。

以我而说,那年不过刚足十八岁;自己的见识和举动,今日回想是很幼稚的。自己所亲眼见的许多人许多事,似都亦不免以天下大事为儿戏。不过青年做事比较认真,动机比较纯洁,则为后来这二三十年的人心所不及。——这是后来的感想,事实不具述。

清帝不久退位,暗杀暴动一类的事,略可结束。同人等多半在天津办报,为公开之革命宣传。赵铁桥诸君所办者,名曰《民意报》。以甄亮甫为首的我们一班朋友,所办的报则名《民国报》。当时经费很充足,每日出三大张,规模之大为北方首创。总编辑为孙炳文(浚明)烈士(四川叙府人,民国十六年国民党以清党为借口将其杀害于上海);我亦充一名编辑,并且还做过外勤记者。今日所用漱溟二字,即是当时一笔名,而且出于孙先生所代拟。

新闻记者,似乎是社会上一项职业了。但其任务在指导社会,实亦非一个初入社会之青年学生所可胜任。现在想来,我还是觉得不妥的。这或者是我自幼志大言大,推演得来之结果吗!报馆原来馆址设在天津,后又迁北京(顺治门外大街西面)。民国二年春间,中国同盟会改组,中国国民党成立,《民国报》收为党本部之机关报,以汤漪主其事,我们一些朋友便离去了。

做新闻记者生活约一年余。连参与革命工作算起来,亦不满两周年。在此期间内,读书少而活动多,书本上的知识未见长进。而以与社会接触频繁之故,渐晓得事实不尽如理想。对于"革命"、"政治"、"伟大人物"……皆有"不过如此"之感。有些下流行径、鄙俗心理,以及尖刻、狠毒、凶暴之事,以前在家庭在学校所遇不到的,此时却看见了;颇引起我对于人生,感到厌倦和憎恶。

在此期间,接触最多者当然在政治方面。前此在中学读书时,便梦想议会政治,逢着资政院开会(宣统二年、三年两度开会),必辗转恳托介绍旁听。现在是新闻记者,持有长期旁听证,所有民元临时参议院民二国会的两院,几乎无日不出入其间了。此外若同盟会本部和改组后的国民党本部,若国务院等处,亦是我踪迹最密的所在。还有共和建设讨论会(民主党之前身)和民主党(进步党的前身)的地方,我亦常去。当时议会内党派的离合,国务院的改组,袁世凯的许多操纵运用,皆映于吾目而了了于吾心。许多政治上人物,他不熟习我,我却熟习他。这些实际知识和经验,有助于我对中国问题之认识者不少。

十一　激进于社会主义

民国元年已有所谓社会党，在中国出现。这是江亢虎（汪精卫之南京伪政府考试院副院长）在上海所发起的，同时他亦就自居于党魁地位。那时北京且有其支部之成立，主持人为陈翼龙（后为袁世凯所杀）。江亦光绪庚子后北京社会上倡导维新运动之一人，与我家夙有来往，我深知其为人底细。他此种举动，完全出于投机心理。虽有些莫名其妙的人附和他，我则不睬。所有他们发表的言论，我都屏斥，不愿入目。我之倾向社会主义，不独与他们无关，而且因为憎恶他们，倒使我对社会主义隔膜了。

论当时风气，政治改造是一般人意识中所有；经济改造则一般人意识中所无。仅仅"社会主义"这名词，偶然可以看到而已（共产主义一词似尚未见），少有人热心研究它。元年

(1912)八月,中国同盟会改组为国民党时,民生主义之被删除,正为一很好例证。同盟会会章的宗旨一条,原为"本会以巩固中华民国,实行民生主义为宗旨";国民党党章则改为"巩固共和,实行平民政治"。这明明是一很大变动,旧日同志所不喜;而总理孙先生之不愿意,更无待言。然而毕竟改了。而且八月廿五日成立大会(在北京虎坊桥湖广会馆之剧场举行),我亦参加。我亲见孙总理和黄克强先生都出席,为极长极长之讲演,则终于承认此一修改,又无疑问①。这固然见出总理之虚怀,容纳众人意见;而经济问题和社会主义之不为当时所理会,亦完全看出了。

---

① 以我个人记忆所及,此次改组,内部争执甚大。即在定议之后,尤复有人蓄意破坏。成立大会,似分在北京、上海两地同时开会。沪会即因此斗争而散;北京方面以孙、黄二公亲临,幸得终局。当时争点,一即删去民生主义,而于别一条文中列有民生政策;又一则同盟会原有女同志,而新党章不收女党员。当场有女同志唐群英、沈佩贞、伍崇敏等起而质问,并直奔台上向宋教仁寻殴,台下亦有人鼓噪。唯赖总理临场讲演,以靖秩序。时值盛夏,天气炎热,总理话已讲完,左右频请续讲,以致拖长数小时之久,汗流满面。勉强散票选举,比得票收齐,已近天黑。自早晨八时开会,至此盖已一整天矣。在当时主持改组者,盖以为宪政之局已定,只求善于运用,远如欧美之产业发达,近如日本之经济建设,皆不难循序而进。此时只须实行社会政策,足防社会问题于未来,无倡社会主义之必要。而运用宪政则在政党。故改组即在泯除暴力革命秘密结社之本色,而化为宪政国家之普通政党,俾与一般社会相接近,以广结同志,多得选民也。——著者

我当时对中国问题认识不足，亦以为只要宪政一上轨道，自不难步欧美日本之后尘，为一近代国家。至于经济平等，世界大同，乃以后之事，现在用不到谈它。所见正与流俗一般无二。不过不久我忽然感触到"财产私有"是人群一大问题。

约在民国元年尾二年初，我偶然一天从家里旧书堆中，拣得《社会主义之神髓》一本书，是日本人幸德秋水（日本最早之社会主义者，死于狱中）所著，由张溥泉（继）先生翻译的，光绪三十一年上海出版。此书在当时已嫌陈旧，内容亦无深刻理论。它讲到什么"资本家"、"劳动者"的许多话，亦不引起我兴味；不过其中有些反对财产私有的话，却印入我心。我即不断地来思索这个问题。愈想愈多，不能自休。终致引我到反对财产私有的路上，而且激烈地反对，好像忍耐不得。

我发现这是引起人群中间生存竞争之根源。由于生存竞争，所以人们常常受到生活问题的威胁，不免于巧取豪夺。巧取，极端之例便是诈骗；豪夺，极端之例便是强盗。在这两大类型中包含各式各样数不尽的事例，而且是层出不穷。我们出去旅行，处处要提防上当受欺。一不小心，轻则损失财物，大则丧身失命。乃至坐在家里，受至亲至近之人所欺者，耳闻目见亦复不鲜。整个社会没有平安地方，说不定诈骗强盗从哪里来。你无钱，便受生活问题的威胁；你有钱，又受这种种威胁。你可能饿死无人管，亦可能四周围的人都在那儿打算你！啊呀！这是什么社会？这是什么人生？——然而这并不新奇。财产私有，生存竞争，自不免演到这一步！

这在被欺被害的人，固属不幸而可悯；即那行骗行暴的人，亦太可怜了！太不像个"人"了！人类不应当这个样子！人间的这一切罪恶由社会制度（财产私有制度）实为之，不能全以责备哪个人。若根源上不解决，徒以严法峻刑对付个人，囚之杀之，实在是不通的事。我们即从法律之禁不了，已可证明其不通与无用。

人间还有许多罪恶，似为当事双方所同意，亦且为法律所不禁的，如许多为了金钱不复计及人格的事。其极端之例，便是倡优。社会上大事小事，属此类型，各式各样亦复数之不尽。因为在这社会上，是苦是乐，是死是活，都决定于金钱。钱之为用，乃广大无边，而高于一切；拥有大量钱财之人，即不啻握有莫大权力，可以役使一切了。此时责备有钱的人，不该这样用他的钱；责备无钱人，不该这样出卖自己。高唱道德，以勉励众人。我们亦徒见其迂谬可笑，费尽唇舌，难收效果而已！

此外还有法律之所许可，道德不及纠正，而社会无形予以鼓励的事；那便是经济上一切竞争行为。竞争之结果，总有许多落伍失败的人，陷于悲惨境遇。其极端之例，便是乞丐。有的不出来行乞，而境遇悲惨须人救恤者，同属这一类型。大抵老弱残废孤寡疾病的人，竞争不了，最容易落到这地步。我认为这亦是人间的一种罪恶。不过这种罪恶，更没有哪一个负其责，显明是社会制度的罪恶了。此时虽有慈善家来举办慈善事业以为救济，但不从头理清此一问题，枝枝节节，又能补救得几何？

此时普及教育是不可希望的，公共卫生是不能讲的，纵然以国家力量勉强举办一些，无奈与其社会大趋势相反何？——大趋势使好多人不能从容以受教育，使好多人无法讲求卫生。社会财富可能以自由竞争而增进（亦有限度），但文化水准不见得比例地随以增高，尤其风俗习惯想要日进于美善，是不可能的。因根本上先失去人心的清明安和，而流于贪吝自私。再加以与普及教育是矛盾的，与公共卫生是矛盾的，那么，将只有使身体方面心理方面日益败坏堕落下去！

人类日趋于下流与衰败，是何等可惊可惧的事！教育家挽救不了";卫生家挽救不了";宗教家、道德家、哲学家都挽救不了。什么政治家、法律家更不用说。拔本塞源,只有废除财产私有制度,以生产手段归公,生活问题基本上由社会共同解决,而免去人与人间之生存竞争。——这就是社会主义。

我当时对于社会主义所知甚少,却十分热心。其所以热心,便是认定财产私有为社会一切痛苦与罪恶之源,而不可忍地反对它。理由如上所说亦无深奥,却全是经自己思考而得。是年冬,曾撰成《社会主义粹言》一种(内容分十节,不过万二三千字),自己写于蜡纸,油印数十本赠人。今无存稿。唯在《漱溟卅前文录》中,有《槐坛讲演之一段》一篇,是民国十二年春间为曹州中学生所讲,讲到一点从前的思想。

那时思想,仅属人生问题一面之一种社会理想,还没有扣合到中国问题上。换言之,那时只有见于人类生活需要社会主义,却没有见社会主义在中国问题上,有其特殊需要。

十二　出世思想

我大约从十岁开始即好用思想。其时深深感受先父思想的影响，若从今日名词言之，可以说在人生哲学上重视实际利害，颇暗合于中国古代墨家思想，或西方近代英国人的功利主义。——以先父似未尝读墨子书，更不知有近代英国哲学，故云暗合。

大约十六七岁时，从利害之分析追问，而转入何谓苦何谓乐之研索，归结到人生唯是苦之认识，于是遽尔倾向印度出世思想了。十七岁曾拒绝母亲为我议婚，二十岁开始茹素，寻求佛典阅读，怀抱出家为僧之念，直至二十九岁乃始放弃。——放弃之由，将于后文第十八节言之。

按：1969年秋间曾写有《自述早年思想之再转

再变》一文,实为此节最好参考之资料,兹不烦重加述说。又关于苦乐问题之研索,则早年《究元决疑论》一文内有一段述说,可资参看。

十三　学佛又学医

我寻求佛典阅读之，盖始于民国初元，而萃力于民国三年前后。于其同时兼读中西医书。佛典及西医书均求之于当时琉璃厂西门的有正书局。此为上海有正书局分店。据闻在上海主其事者，为狄葆贤，号平子，又号平等阁主，崇信佛法，《佛学丛报》每月一期，似即其主编。金陵刻经处刻出之佛典，以及常州等处印行之佛典，均于此流通，任人觅购。《佛学丛报》中有李证刚（翊灼）先生文章，当时为我喜欢读。但因无人指教，自己于佛法大乘、小乘尚不分辨，于各宗派更属茫然，遇有佛典即行购求，亦不问其能懂与否。曾记得"唯识"、"因明"各典籍最难通晓，暗中摸索，费力甚苦。

所以学佛又学医者，虽心慕《金刚经》所云"入城乞食"之后制，自度不能行之于今，拟以医术服务人民取得衣食一切所需也。恰好有正书局代售上海医学书局出版之西医书籍，因并购取读之。据闻此局主事者丁福保氏，亦好佛学，曾出版佛学辞典等书。丁氏、狄氏既有同好，两局业务遂以相通。其西医各书系由日文翻译过来，有关于药物学、内科学、病理学、诊断学等著作十数种之多，我尽购取，闭户研究。

中医古籍则琉璃厂各书店多有之。我所读者据今日回忆似以陈修园四十八种为主，《黄帝内经》以至张仲景《伤寒》、《金匮》各书均在其中。我初以为中西医既同以人身疾病为研究对象，当不难沟通，后乃知其不然。中西两方思路根本不同，在某些末节上虽可互有所取，终不能融合为一。其后既然放弃出家之想，医学遂亦置而不谈。

十三　学佛又学医

我寻求佛典阅读之，盖始于民国初元，而萃力于民国三年前后。于其同时兼读中西医书。佛典及西医书均求之于当时琉璃厂西门的有正书局。此为上海有正书局分店。据闻在上海主其事者，为狄葆贤，号平子，又号平等阁主，崇信佛法，《佛学丛报》每月一期，似即其主编。金陵刻经处刻出之佛典，以及常州等处印行之佛典，均于此流通，任人觅购。《佛学丛报》中有李证刚（翊灼）先生文章，当时为我喜欢读。但因无人指教，自己于佛法大乘、小乘尚不分辨，于各宗派更属茫然，遇有佛典即行购求，亦不问其能懂与否。曾记得"唯识"、"因明"各典籍最难通晓，暗中摸索，费力甚苦。

所以学佛又学医者，虽心慕《金刚经》所云"入城乞食"之后制，自度不能行之于今，拟以医术服务人民取得衣食一切所需也。恰好有正书局代售上海医学书局出版之西医书籍，因并购取读之。据闻此局主事者丁福保氏，亦好佛学，曾出版佛学辞典等书。丁氏、狄氏既有同好，两局业务遂以相通。其西医各书系由日文翻译过来，有关于药物学、内科学、病理学、诊断学等著作十数种之多，我尽购取，闭户研究。

中医古籍则琉璃厂各书店多有之。我所读者据今日回忆似以陈修园四十八种为主，《黄帝内经》以至张仲景《伤寒》、《金匮》各书均在其中。我初以为中西医既同以人身疾病为研究对象，当不难沟通，后乃知其不然。中西两方思路根本不同，在某些末节上虽可互有所取，终不能融合为一。其后既然放弃出家之想，医学遂亦置而不谈。

十四　父亲对我信任且放任

此节的最好参考资料是我所为《思亲记》一文（见先公遗书卷首）。吾父对我的教育既经叙述在第二节，今此节不外继续前文。其许多事实则具备于《思亲记》所记之中，兹分别概述如下：

父亲的信任我，是由于我少年时一些思想行径很合父意，很邀嘉赏而来。例如我极关心国家大事，平素看轻书本学问而有志事功，爱读梁任公的《新民丛报》、《德育鉴》、《国风报》等书报，写作日记，勉励自己。这既有些像父亲年轻时所为，亦且正和当时父亲的心理相合。每于晚饭后谈论时事，我颇能得父亲的喜欢。又如父亲向来佩服胡林翼慷慨有担当，郭嵩焘识见不同于流俗，而我在读到《三名臣书牍》、《三星使书牍》时，正好特别重视这两个人。但这都是我十四五岁以至十九岁时的事情,后来就不同了。

说到父亲对我的放任,正是由于我的思想行动很不合父亲之意,且明示其很不同意于我,但不加干涉,让我自己回心转意。我不改变,仍然听任我所为,这便是放任了。

不合父意的思想行动是哪些呢?正如《思亲记》原文说的:

> 自[民国]元年以来谬慕释氏,语及人生大道必归宗天竺,策数世间治理则矜尚远西。于祖国风教大原,先民德礼之化顾不知留意。

实则时间上非始自民国元年,而早在辛亥革命时,我参加革命行动,父亲就明示不同意了,却不加禁止。革命之后,国会开会,党派竞争颇多丑剧,父亲深为不满,而我迷信西方政制,以为势所难免,事事为之辩护。虽然父子好谈时事一如既往,而争论剧烈大伤父心。——此是一方面。

再一方面,就是我的出世思想,好读佛典,志在出家为僧,父亲当然大为不悦。但我购读佛书,从来不加禁阻。我中学毕业后,不愿升学,以至我不结婚,均不合父意,但均不加督促。只是让我知道他是不同意的而止。这种宽放态度，我今天想起来仍然感到出乎意料。同时，我今天感到父亲这样态度对我的成就很大，实在是意想不到的一种很好的教育。不过我当时行事亦自委婉，例如吃素一事（守佛家戒律）要待离开父亲到达西安时方才实行。所惜我终违父意，父在世时坚不结婚；其后我结婚则父逝既三年矣。

十五　当年倾慕的几个人物

吾父放任我之所为，一不加禁，盖相信我是有志向上的人，非趋向下流，听其自己转变为宜。就在此放任之中，我得到机会大走自学之路，没有落于被动地受教育地步。大约从十四五岁到十八九岁一阶段，我心目中有几个倾慕钦佩的人物，分述如下：

梁任公先生当然是头一个。我从壬寅、癸卯、甲辰（1902—1904）三整年的《新民丛报》学到很多很多知识，激发了志气，受影响极大。我曾写有纪念先生一文，可参看。文中亦指出了他的缺点。当年钦仰的人物，后来不满意，盖非独于任公先生为然。

再就是先舅氏张镕西先生耀曾，为我年十四五之时所敬服之人。镕舅于母极孝，俗有"家贫出孝子"之说，确是有理。

他母亲是吾父表姐,故尔他于吾父亦称舅父,且奉吾父为师。他在民国初年政治中,不唯在其本党(同盟会、国民党)得到群情推重信服,而且深为异党所爱重。我在政协《文史资料选辑》中写有一文可参看。惜他局限于资产阶级的政治思想,未能适应社会主义新潮流。

再就是章太炎先生(炳麟)的文章,曾经极为我所爱读,且惊服其学问之渊深。我搞的《晚周汉魏文钞》,就是受他文章的影响。那时我正在倾心学佛,亦相信了他的佛学。后来方晓得他于佛法竟是外行。

再就是章行严先生(士钊)在我精神上的影响关系,说起来话很长。我自幼喜看报纸。十四岁入中学后,学校阅览室所备京外报纸颇多,我非止看新闻,亦且细看长篇论文。当时北京有一家《帝国日报》常见有署名"秋桐"的文章,讨论宪政制度,例如国会宜用一院制抑二院制的问题等等。笔者似在欧洲,有时兼写有《欧游通讯》刊出,均为我所爱读。后来上海《民立报》常见署者"行严"的论文,提倡讲逻辑。我从笔调上判断其和"秋桐"是一个人的不同笔名,又在梁任公主编的《国风报》(一种期刊、出版于日本东京)上见有署名"民质"的一篇论翻译名词的文章,虽内容与前所见者不相涉，但我又断定必为同一个人。此时始终不知其真实姓名为谁。

后来访知其真姓名为章士钊，我所判断不同笔名实为一个人者果然不差。清廷退位后，孙中山先生以临时总统让位于袁世凯，但党（同盟会）内决议定都南京，要袁南下就职，《民立报》原为党的机关报，而章先生主持笔政，却发表其定都北京之主张。党内为之哗然；又因章先生本非同盟会会员，群指目为报社内奸。于是章先生乃不得不退出《民立报》。自己创办一周刊标名《独立周报》，发抒个人言论。其发刊词表明自己从来独立不倚（independent）的性格，又于篇末附有寄杨怀中先生（昌济）长达一两千字的书信。书信内容说他自己虽同孙（中山）、黄（克强）一道奔走革命，却不加入同盟会之事实经过（似是因加入同盟会必誓言忠于孙公并捺手指印模，而他不肯行之）。当时他所兄事的章太炎、张溥泉两位，曾强他参加，以至于把他关锁在房间内，如不同意参加便不放出（按此时他年龄似尚不足二十岁），而他终不同意。知此事者不多，怀中先生却知道，可以作证。《独立周报》发刊，我曾订阅，对于行严先生这种性格非常喜欢。彼此精神上，实有契合，不徒在文章之末。

其后，章先生在日本出版《甲寅》杂志，我于阅读之余，开始与他通信，曾得答书不少，皆保存之，可惜今尽失去。其时正当孙、黄"二次革命"失败，袁世凯图谋帝制，人心苦闷，《甲寅》论著传诵国内，极负盛名。不久章先生参与西南倒袁之役，担任军务院秘书长。袁倒黎继，因军务院撤销问题，先生来北京接洽结束事务，我们始得见面。但一见之后，即有令我失望之感。我认为当国家多难之秋，民生憔悴之极，有心人必应刻苦自励，而先生颇以多才而多欲，非能为大局负责之人矣。其后细行不检，嫖、赌、吸鸦片无所不为，尤觉可惜。然其个性甚强，时有节概可见，九十高龄犹勤著述（我亲见之），自不可及。

十六　思想进步的原理

思想似乎是人人都有的,但有而等于没有的,殆居大多数。这就是在他头脑中杂乱无章,人云亦云,对于不同的观点意见,他都点头称是。思想或云一种道理,原是对于问题的解答。他之没有思想正为其没有问题。反之,人之所以有学问,恰为他善能发见问题,任何微细不同的意见观点,他都能觉察出来,认真追求,不忽略过去。问题是根苗,大学问像一棵大树,从根苗上发展长大起来,而环境见闻(读书在其内),生活实践,则是它的滋养资料,久而久之自然蔚成一大系统。思想进步的原理,一言总括之,就是如此。

往年曾有《如何成为今天的我》一篇讲演词(见于商务馆出版的《漱溟卅后文录》),又旧著《中国文化要义》书前有一篇《自序》均可资参看。

十七　东西文化问题

我既从青年时便体认人生唯是苦,觉得佛家出世最合我意,茹素不婚,勤求佛典,有志学佛。不料竟以《究元决疑论》一篇胡说瞎论引起蔡元培先生注意,受聘担任北大印度哲学讲席。这恰值新思潮(五四运动)发动前夕。当时的新思潮是既倡导西欧近代思潮(赛恩斯与德谟克拉西),又同时引入各种社会主义学说的。我自己虽然对新思潮莫逆于心,而环境气氛却对我讲的东方古哲学无形中有很大压力。就是在这压力下产生出来我《东西文化及其哲学》一书。这书内容主要是把西洋、中国、印度不相同的三大文化体系各予以人类文化发展史上适当的位置,解决了东西文化问题。

十八　回到世间来

《东西文化及其哲学》一书，在人生思想上归结到中国儒家的人生，并指出世界最近未来将是中国文化的复兴。这是我从青年以来的一大思想转变。当初归心佛法，由于认定人生唯是苦（佛说四谛法：苦、集、灭、道），一旦发现儒书《论语》开头便是"学而时习之，不亦乐乎"，一直看下去，全书不见一苦字，而乐字却出现了好多好多，不能不引起我极大注意。在《论语》书中与乐字相对待的是一个忧字。然而说"仁者不忧"，孔子自言"乐以忘忧"，其充满乐观气氛极其明白；是何为而然？经过细心思考反省，就修正了自己一向的片面看法。此即写出《东西文化及其哲学》的由来，亦就伏下了自己放弃出家之念，而有回到世间来的动念。

动念回到世间来，虽说触发于一时，而早有其酝酿在的。

这就是被误拉进北京大学讲什么哲学，参入知识分子一堆，不免引起好名好胜之心。好名好胜之心发乎身体，而身则天然有男女之欲。但我既蓄志出家为僧，不许可婚娶，只有自己抑制遏止其欲念。自己精神上就这样时时在矛盾斗争中。矛盾斗争不会长久相持不决，逢到机会终于触发了放弃一向要出家的决心。

机会是在1920年春初，我应少年中国学会邀请作宗教问题讲演后，在家补写其讲词。此原为一轻易事，乃不料下笔总不如意，写不数行，涂改满纸，思路窘涩，头脑紊乱，自己不禁诧讶，掷笔叹息。即静心一时，随手取《明儒学案》翻阅之。其中泰州王心斋一派素所熟悉，此时于《东崖语录》中忽看到"百虑交锢，血气靡宁"八个字蓦地心惊：这不是恰在对我说的话吗？这不是恰在指斥现时的我吗？顿时头皮冒汗，默然有省。遂由此决然放弃出家之念。是年暑假应邀在济南讲演《东西文化及其哲学》一题，回京写定付印出版，冬十一月尾结婚。

如何成为今天的我

在座各位，今天承中山大学哲学会请我来演讲；中山大学是华南最高的研究学问的地方，我在此地演讲，很是荣幸，大家的欢迎却不敢当。

今天预备讲的题目很寻常，讲出来深恐有负大家的一番盛意。本来题目就不好定，因为这题目要用的字面很难确当。我想说的话是说明我从前如何求学，但求学这两个字也不十分恰当，不如说是来说明如何成为今天的我的好——大概我想说的话就是这些。

为什么我要讲这样的一个题目呢？我讲这个题目有两点意义：

第一点，初次和大家见面，很想把自己介绍于诸位。如果诸位从来不曾听过有我梁某这个人，我就用不着介绍。我们重新认识就好了。但是诸位已经听见人家讲过我；所听的话，大都是些传说,不足信的,所以大家对于我的观念,多半是出于误会。我因为不想大家有由误会生出来对于我的一种我所不愿意接受的观念,所以我想要说明我自己,解释这些误会,使大家能够知道我的内容真相。

第二点,今天是哲学系的同学请我讲演;并且这边哲学系曾经要我来担任功课之意甚殷,这个意思很不敢当,也很感谢。我今天想趁这个机会把我心里认为最要紧的话,对大家来讲一讲,算是对哲学系的同学一点贡献。

一、我想先就第一点再申说几句:我所说大家对于我的误会,是不知道为什么把我看作一个国学家、一个佛学家、一个哲学家;不知道为什么会有这许多的徽号、这许多想象和这许多猜测!这许多的高等名堂,我殊不敢受。我老实对大家讲一句:我根本不是学问家!并且简直不是讲学问的人,我亦没有法子讲学问!大家不要说我是什么学问家!我是什么都没有的人,实在无从讲学问。不论是讲哪种学问,总要有一种求学问的工具:要西文通晓畅达才能求现代的学问;而研究现代的学问,又非有科学根柢不行。我只能勉强读些西文书;科学的根柢更没有。到现在我才只是一个中学毕业生!说到国学,严格地说来,我中国字还没认好。除了只费十几天的工夫很草率地翻阅一过《段注说文》之外，对于文字学并无研究，所以在国学方面，求学的工具和根柢也没有。中国的古书我通通没有念过；大家以为我对于中国古书都很熟，其实我一句也没有念，所以一句也不能背诵。如果我想引用一句古书，必定要翻书才行。从七八岁起即习ABC，但到现在也没学好；至于中国的古书到了十几岁时才找出来像看杂志般的看过一回。所以，我实在不能讲学问，不管是新的或旧的，而且连讲学问的工具也没有；那么，不单是不会讲学问，简直是没有法子讲学问。

但是，为什么缘故，不知不觉地竟让大家误会了以我为一个学问家呢？此即今天我想向大家解释的。我想有必要解释这误会，因为学问家是假的，而误会已经真有了！所以今天向大家自白，让大家能明白我是怎样的人，真是再好不过。这是申说第一点意义的。

二、（这是对哲学系的同学讲的）在我看，一个大学里开一个哲学系，招学生学哲学，三年五年毕业，天下最糟，无过于是！哲学系实在是误人子弟！记得民国六年或七年（记不清是六年还是七年，总之是十年以前的话），我在北京大学教书时，哲学系第一届（或第二）毕业生因为快要毕业，所以请了校长、文科学长、教员等开一个茶会。那时，文科学长陈独秀先生曾说："我很替诸位毕业的同学发愁。因为国文系的同学毕业，我可以替他们写介绍信，说某君国文很好请你用他；或如英文系的同学毕业时，我可以写介绍信说某君英文很好请你可以用他；但哲学系毕业的却怎么样办呢？所以我很替大家发愁！"大学的学生原是在乎深造于学问的，本来不在乎社会的应用的，他的话一半是说笑话，自不很对；但有一点，就是学哲学一定没有结果，这一点是真的！学了几年之后还是莫名其妙是真的！所以我也不能不替哲学系的同学发愁！

哲学是个极奇怪的东西：一方面是尽人应该学之学，而在另一方面却又不是尽人可学之学；虽说人人都应当学一点，然而又不是人人所能够学得的。换句话讲，就是没有哲学天才的人，便不配学哲学；如果他要勉强去学，就学一辈子，也得不到一点结果。所以哲学这门学问，可以说是只少数人所能享的一种权利；是和艺术一样全要靠天才才能成功，却与科学完全殊途。因为学科学的人，只要肯用功，多学点时候，总可学个大致不差；譬如工程学，算是不易的功课，然而除非是个傻子或者有神经病的人，就没有办法；不然，学上十年八年，总可以做个工程师。哲学就不像这样，不仅要有天才，并且还要下工夫，才有成功的希望；没有天才，纵然肯下工夫，是不能做到，即算有天才不肯下工夫，也是不能成功。

如果大家问哲学何以如此特别，为什么既是尽人应学之学，同时又不是尽人可学之学的道理；这就因为哲学所研究的问题，最近在眼前，却又是远在极处——最究竟。北冰洋离我们远，它比北冰洋更远。如宇宙人生的问题，说它深远，却明明是近在眼前。这些问题又最普遍，可以说是寻常到处遇得着；但是却又极特殊，因其最究竟。因其眼前普遍，所以人人都要问这问题，亦不可不问；但为其深远究竟，人人无法能问，实亦问不出结果。甚至一般人简直无法去学哲学。大概宇宙人生本是巧妙之极，而一般人却是愚笨之极；各在极端，当然两不相遇。既然根本没有法子见面，又何能了解呢？你不巧妙，无论你怎样想法子，一辈子也休想得到那个巧妙；所以我说哲学不是尽人可学的学问。有人以为宇宙人生是神秘不可解，其实非也。有天才便可解，没有天才便不可解。你有巧妙的头脑，自然与宇宙的巧妙相契无言，莫逆于心；亦不以为什么神秘超绝。如果你［没］有巧妙的头脑，你就用不着去想要懂它，因为你够不上去解决它的问题。不像旁的学问，可以一天天求进步，只要有积累的工夫，对于那方面的知识，总可以增加；譬如生理卫生、物理、化学、天文、地质各种科学，今天懂得一个问题，明天就可以去求解决一个新问题；而昨天的问题，今天就用不着再要去解决了（不过愈解决问题，就也愈发见问题）。其他各种学问，大概都是只要去求解决后来的问题，不必再去研究从前已经解决了的问题；在哲学就不然，自始至终，总是在那些老问题上盘旋。周、秦、希腊几千年前所研究的问题，到现在还来研究。如果说某种科学里面也是要解决老问题的，那一定就是种很接近哲学的问题；不然，就决不会有这种事。以此，有人说各种科学都有进步，独哲学自古迄今不见进步。实则哲学上问题亦非总未得解决。不过科学上问题的解决可以摆出外面与人以共见；哲学问题的解决每存于个人主观，不能与人以共见。古之人早都解决，而后之人不能不从头追问起；古之人未尝自闷其所得，而后之人不能资之以共喻；遂若总未解决耳。进步亦是有的，但不存于正面，而在负面，即指示"此路不通"是也。问题之正面解答，虽迄无定论；而其不可作如是观，不可以是求之，则逐渐昭示于人。故哲学界里，无成而有成，前人工夫卒不白费。

这样一来，使哲学系的同学就为难了：哲学既是学不得的学问，而诸位却已经上了这个当，进了哲学系，退不出来，又将怎么办呢？所以我就想来替大家想个方法补救。法子对不对，我不敢断定，我只是想贡献诸位这一点意思；诸位照我这个办法去学哲学，虽或亦不容易成功，但也许成功。这个方法，就是我从前求学走的那条路，我讲出来让大家去看是不是一条路，可不可以走得。

不过我在最初并没有想要学哲学，连哲学这个名词，还不晓得；更何从知道有治哲学的好方法？我但不知不觉间走进这条路去的。我在《东西文化及其哲学》自序中说："我完全没有想学哲学，但常常好用心思；等到后来向人家说起，他们方告诉我这便是哲学……"实是真话。我不但从来未曾有一天动念想研究哲学，而且我根本未曾有一天动念想求学问。刚才已经很老实地说我不是学问家，并且我没有法子讲学问。现在更说明我从开头起始终没有想讲学问。我从十四岁以后，心里抱有一种意见（此意见自不十分对）。什么意见呢？就是鄙薄学问，很看不起有学问的人；因我当时很热心想做事救国。那时是前清光绪年间，外国人要瓜分中国，我们要有亡国灭种的危险一类的话听得很多；所以一心要救国，而以学问为不急之务。不但视学问为不急，并且认定学问与事功截然两途。讲学问便妨碍了做事，越有学问的人越没用。这意见非常地坚决。

实在当时之学问亦确是有此情形；什么八股词章、汉学、宋学……对于国计民生的确有何用呢？又由我父亲给我的影响亦甚大。先父最看得读书人无用，虽他自己亦尝读书中举。他常常说，一个人如果读书中了举人，便快要成无用的人；更若中进士点翰林大概什九是废物无能了。他是个太过尚实认真的人，差不多是个狭隘的实用主义者；每以有用无用，有益无益，衡量一切。我受了此种影响，光绪末年在北京的中学念书的时候，对于教师教我的唐宋八家的古文顶不愿意听；讲庄子《齐物论》、《逍遥游》……那么更头痛。不但觉得无用无聊之讨厌，更痛恨他卖弄聪明，故示玄妙，完全是骗人误人的东西！当时尚未闻"文学"、"艺术"、"哲学"一类的名堂；然而于这一类东西则大概都非常不喜欢。一直到十九、二十岁还是这样。于哲学尤其嫌恶，却不料后来自己竟被人指目为哲学家！

由此以后，这种错误观念才渐渐得以纠正而消没了。但又觉不得空闲讲学问；一直到今天犹且如此。所谓不得空闲讲学问，是什么意思呢？因为我心里的问题太多，解决不了。凡聪明人于宇宙事物大抵均好生疑问，好致推究，但我的问题之多尚非此之谓。我的问题背后多半有较强厚的感情相督迫，亦可说我的问题多偏乎实际（此我所以不是哲学家乃至不是学问家的根本原因）；而问题是相引无穷的，心里不免紧张而无暇豫。有时亦未尝不想在优游恬静中，从容地研究一点学问，却完全不能做到了。虽说今日我亦颇知尊重学问家，可惜我自己做不来。

从前薄学问而不为，后来又不暇治学问，而到今天竟然成为一个被人误会为学问家的我。此中并无何蹊跷，我只是在无意中走上一条路；走上了，就走不下来，只得一直走去；如是就走到这个易滋误会（误会是个学问家）的地方。其实亦只易滋误会罢了；认真说，这便是做学问的方法吗？我不敢答，然而真学问的成功必有自于此，殆不妄乎。现在我就要来说明我这条路，做一点对于哲学系同学的贡献。

我无意中走上的路是怎么样一条路呢？就是我不知为何特别好用心思。我不知为什么便爱留心问题，——问题不知如何走上我心来，请它出去，它亦不出去。大约从我十四岁就好用心思，到现在二十多年这期间内，总有问题占据在我的心里。虽问题有转变而前后非一，但半生中一时期都有一个问题没有摆脱，由此问题移入彼问题，由前一时期进到后一时期。从起初到今天，常常在研究解决问题，而解决不完，心思之用亦欲罢不能，只好由它如此。这就是我二十余年来所走的一条路。

如果大家要问为什么好用心思？为什么会有问题？这是我很容易感觉到事理之矛盾，很容易感觉到没有道理，或有两个以上的道理。当我觉出有两个道理的时候，我即失了主见，便不知要哪样才好。眼前若有了两个道理或多的道理，心中便没了道理，很是不安，却又丢不开，如是就占住了脑海。我自己回想当初为什么好用心思，大概就是由于我易有这样感觉吧。如果大家想做哲学家，似乎便应该有这种感觉才得有希望。更放宽范围说，或者许多学问都需要这个为起点呢。

以下分八层来说明我走的一条路：

（一）因为肯用心思所以有主见。对一个问题肯用心思，便对这问题自然有了主见，亦即是在自家有判别。记得有名的哲学家詹姆士（James）仿佛曾说过一句这样的话："哲学上的外行，总不是极端派。"这是说胸无主见的人无论对于什么议论都点头；人家这样说他承认不错，人家那样说他亦相信有理。因他脑里原是许多杂乱矛盾未经整理的东西。两边的话冲突不相容亦麻木不觉，凡其人于哲学是外行的，一定如此。哲学家一定是极端的！什么是哲学的道理？就是偏见！有所见便想把这所见贯通于一切，而使之成普遍的道理。因执于其所见而极端地排斥旁人的意见，不承认有二或二以上的道理。美其名曰主见亦可，斥之曰偏见亦可。实在岂但哲学家如此！何谓学问？有主见就是学问！遇一个问题到眼前来而茫然的便是没有学问！学问不学问，却不在读书之多少。哲学系的同学，生在今日，可以说是不幸。因为前头的东洋西洋上古近代的哲学家太多了；那些读不完的书，研寻不了的道理，很沉重地积压在我们头肩上，不敢有丝毫的大胆量，不敢稍有主见。但如果这样，终究是没有办法的。大家还要有主见才行。那么就劝大家不要为前头的哲学家吓住，不要怕主见之不对而致不要主见。我们的主见也许是很浅薄，浅薄亦好，要知虽浅薄也还是我的。许多哲学家的哲学也很浅，就因为浅便行了。James 的哲学很浅，浅所以就行了！胡适之先生的更浅，亦很行。因为这是他自己的，纵然不高深，却是心得，而亲切有味。所以说出来便能够动人；能动人就行了！他就能成他一派。大家不行，就是因为大家连浅薄的都没有。

（二）有主见乃感觉出旁人意见与我两样。要自己有了主见，才得有自己；有自己，才得有旁人——才得发觉得前后左右都有种种与我意见不同的人在。这个时候，你才感觉到种种冲突，种种矛盾，种种没有道理，又种种都是道理。于是就不得不有第二步的用心思。

学问是什么？学问就是学着认识问题。没有学问的人并非肚里没有道理，脑里没有理论，而是心里没有问题。要知必先看见问题，其次乃是求解答；问题且无，解决问题更何能说到。然而非能解决问题，不算有学问。我为现在哲学系同学诸君所最发愁的，便是将古今中外的哲学都学了；道理有了一大堆，问题却没有一个，简直成了莫可奈何的绝物。要求救治之方，只有自己先有主见，感觉出旁人意见与我两样，而处处皆是问题；憬然于道理之难言，既不甘随便跟着人家说，尤不敢轻易自信；求学问的生机才有了。

（三）此后看书听话乃能得益。大约自此以后乃可算会读书了。前人的主张，今人的言论，皆不致轻易放过，稍有与自己不同处，便知注意。而凡于其自己所见愈亲切者，于旁人意见所在愈隔膜。不同，非求解决归一不可；隔膜，非求了解它不可。于是古人今人所曾用过的心思，我乃能发见而得到，以割取而收归于自己，所以最初的一点主见便是以后大学问的萌芽。从这点萌芽才可以吸收滋养料；而亦随在都有滋养料可得。有此萌芽向上才可以生枝发叶，向下才可以入土生根。待得上边枝叶扶疏，下边根深蒂固，学问便成了。总之，必如此才会用心，会用心才会读书；不然读书也没中用处。现在可以告诉大家一个看人会读书不会读书的方法：会读书的人说话时，他要说他自己的话，不堆砌名词，亦无事旁征博引。反之，一篇文里引书越多的一定越不会读书。

（四）学然后知不足。古人说"学然后知不足"，真是不错。只怕你不用心，用心之后就自知虚心了。自己当初一点见解之浮浅不足以解决问题，到此时才知道了。问题之不可轻谈，前人所看之高过我，天地间事理为我未及知者之尽多，乃打下了一向的粗心浮气。所以学问之进，不独见解有进境，逐有修正，逐有锻炼；而心思头脑亦锻炼得精密了，心气态度亦锻炼得谦虚了。而每度头脑态度之锻炼又皆还于其见解之长进有至大关系。换言之，心虚思密实是求学的必要条件。学哲学最不好的毛病是说自家都懂。问你，柏拉图懂吗？懂。佛家懂吗？懂。儒家懂吗？懂。老子、阳明也懂；康德、罗素、柏格森……全懂得。说起来都像自家熟人一般。一按其实，则他还是他未经锻炼的思想见地；虽读书，未曾受益。凡前人心思曲折，经验积累，所以遗我后人者乃一无所承领，而贫薄如初。遇着问题，打起仗来，于前人轻致反对者固属隔膜可笑，而自谓宗主前人者亦初无所窥。我们于那年"科学与人生"的论战,所以有大家太不爱读书,太不会读书之叹也。而病源都在不虚心,自以为没什么不懂得的。殊不知,你若当真懂得柏拉图,你就等于柏拉图。若自柏拉图、佛、孔以迄罗素、柏格森及数理生物之学都懂而兼通了;那么,一定更要高过一切古今中外的大哲了!所以我劝同学诸君,对于前人之学总要存一我不懂之意。人间柏拉图你懂吗?不懂。柏格森懂吗?不懂。阳明懂吗?不懂。这样就好了。从自己觉得不懂,就可以除去一切浮见,完全虚心先求了解他;这样,书一定被你读到了。

我们翻开《科学与人生观之论战》一看,可以觉到一种毛病;什么毛病呢?科学派说反科学派所持见解不过如何如何;其实并不如此。因为他们自己头脑简单,却说人家头脑简单;人家并不如此粗浅,如此不通,而他看成人是这样。他以为你们总不出乎此。于是他就从这里来下批评攻击。可以说是有意无意的栽赃。我从来的脾气与此相反。从来遇着不同的意见思想,我总疑心他比我高。疑心他必有为我所未及的见闻在;不然,他何以不和我作同样判断呢?疑心他必有精思深悟过乎我;不然,何我所见如此而他乃如彼?我原是闻见最不广,知识最不够的人。聪明颖悟,自己看是在中人以上;然以视前人则远不逮,并世中高过我者亦尽多。与其说我是心虚,不如说我胆虚较为近实。然由此不敢轻量人,而人乃莫不资我益。因此我有两句话希望大家常常存记在心。第一,"担心他的出乎我之外";第二,"担心我的出乎他之下"。有这担心,一定可以学得上进。《东西文化及其哲学》这本书就为了上面我那两句话而产生的。我二十岁的时候,先走入佛家的思想,后来又走到儒家的思想。因为自己非常担心的缘故,不但人家对佛家、儒家的批评不能当做不看见;并且自己留心去寻看有多少对我的批评。总不敢自以为高明,而生恐怕是人家的道理对。因此要想方法了解西洋的道理,探求到根本,而谋一个解决。迨自己得到解决,便想把自己如何解决的拿出来给大家看,此即写那本书之由也。

(五)由浅入深便能以简御繁。归纳起第一、第二、第三、第四四点,就是常常要有主见,常常看出问题,常常虚心求解决。这样一步一步的牵涉越多,范围越广,辨察愈密,追究愈深。这时候零碎的知识,断片的见解都没有了;在心里全是一贯的系统,整个的组织。如此,就可以算成功了。到了这时候,才能以简御繁,才可以学问多而不觉得多。凡有系统的思想,在心里都很简单,仿佛只有一两句话。凡是大哲学家皆没有许多话说，总不过一两句。很复杂很沉重的宇宙，在他手心里是异常轻松的——所谓举重若轻。学问家如说肩背上负着多沉重的学问，那是不对的；如说当初觉得有什么，现在才晓得原来没有什么，那就对了。其实，直仿佛没话可讲。对于道理越看得明透越觉得无甚话可说，还是一点不说的好。心里明白，口里讲不出来。反过来说，学问浅的人说话愈多，思想不清楚的人名词越多。把一个没有学问的人看见真要被他吓坏！其实道理明透了，名词便可用，可不用，或随意拾用。

（六）是真学问便有受用。有受用没受用仍就在能不能解决问题。这时对于一切异说杂见都没有摇惑，而身心通泰，怡然有以自得。如果外面或里面还有摆着解决不了的问题，那学问必是没到家。所以没有问题，因为他学问已经通了。因其有得于己，故学问可以完全归自己运用。假学问的人，学问在他的手里完全不会用。比方学武术的十八般武艺都学会了，表演起来五花八门很像个样。等到打仗对敌，叫他抡刀上阵，却拿出来的不是那个，而是一些幼稚的、拙笨的甚至本能的反射运动，或应付不了，跑回来搬请老师。这种情形在学术界里，多可看见。可惜一套武艺都白学了。

（七）旁人得失长短一望而知。这时候学问过程里面的甘苦都尝过了；再看旁人的见解主张，其中得失长短都能够看出来。这个浅薄，那个到家，这个是什么分数，那个是什么程度，都知道得很清楚；因为自己从前皆曾翻过身来，一切的深浅精粗的层次都经过。

（八）自己说出话来精巧透辟。每一句话都非常地晶亮透辟，因为这时心里没有一点不透的了。此思精理熟之相也。

现在把上面的话结束起来。如果大家按照我的方法去下工夫，虽天分较低的人，也不至于全无结果。盖学至于高明之域，诚不能不赖有高明之资。然但得心思剀切事理，而循此以求，不急不懈，持之以恒者，则祛俗解蔽，未尝不可积渐以进。而所谓高明正无奥义可言，亦不过俗祛蔽解之真到家者耳。此理，前人早开掘出以遗我，第苦后人不能领取。诚循此路，必能取益；能取益古人则亦庶几矣。

至于我个人，于学问实说不上。上述八层，前四层诚然是我用功的路径；后四层，往最好里说，亦不过庶几望见之耳——只是望见，非能实有诸己。少时妄想做事立功而菲薄学问；二三十岁稍有深思，亦殊草率；近年问题益转入实际的具体的国家社会问题上来。心思之用又别有在，若不如是不得心安者。后此不知如何，终恐草草负此生耳。

术」,我要问诸位郑重声明的:我始终不是学问中人,也不是事功中人;我想了许久,我是什么人?我大概是问题中人!

(此篇文章为作者1928年在广州中山大学的讲演)

自述

题　记

《自述》原为著者所作长篇讲话，于 1934 年 1 月 3—6 日，分四次讲完。讲话记录曾收入《乡村建设论文集》(1934 年)，并出有单行本；1987 年又收入《我的努力与反省》(文集) 一书。

日昨曾说明本院开办讲习会之意义，并非欲在此短时期内传授诸君以知识技能，赶着应用，一如普通之速成班；本院的意旨是因为吾们皆身在问题中，又生于问题最严重之中国，吾们聚合一处，商讨吾们的问题，找出路子，解决烦闷。

今日所讲之内容将先说明我自己，在说明我自己时最可使诸君明白上面"解决烦闷"之意。今日所讲与日昨所讲实相连贯。诸君如已经看过我所发表的文字，其中有两篇皆是说明我自己的。其一即《如何成为今天的我》见《漱溟卅后文录》（商务印书馆发行）。此文系民国十七年在广州中山大学的讲稿，在此文中我曾说明，外间对于个人，往往有许多不同之猜测，以为我为一学问家、哲学家、国学家或其他专家，仿佛看我为学问中人；其实我并无学问。我省思再四，我自己认识我，我实在不是学问中人，我可算是"问题中人"。如果有人问我,我现在何以有一点关于哲学、佛学、经济学、政治学等各方面的知识?何以在社会中有此地位?我的答复,乃是由于问题逼出来的。我当初并无意于某一方面的学问,或者是哲学,或者是佛学,乃至于政治学、经济学等等,而结果则都知道一点,其所以致此者,问题逼之使然也。当初我亦无意于社会中如何做哪种事业,成就一种地位,而结果能做点事业,有点地位;其故无他,亦问题逼之使然也(看下文自明)。

最近我有《中国民族自救运动之最后觉悟》一书的出版,此书系汇集我在《村治月刊》各期内所发表之论文而成。其中第一篇《主编本刊之自白》一文也是表白我自己,说明我自己所以成为今日的我,所以主编《村治月刊》的原因,无一非问题逼迫我,不得不如此也。诸君如已看过这两篇文字,皆可以了解我;但我在今日讲辞中仍愿为诸君说明我自己。

因为本院招收讲习会会员时,曾嘱诸君先写一篇"自述",俾本院同人对于诸君有一了解;以故我亦应为诸君叙述我自己,使诸君对于我亦得以了解。我之所谓今日所讲与日昨所讲彼此有关系者,意即在斯。以下且先说明我自己。

我之籍贯系广西桂林,我之祖父生于桂林,先父与我则皆生于北京,先母为云南籍。我生于清光绪十九年,今年四十一岁。我生后身体极弱，较之于寻常儿童皆有不及。六岁时，头目时刻晕眩，有时顿感地动天摇，我自己无力支持；医生曾语先父，此子恐难永年，殊可忧也。

八岁时，入北京中西小学堂，此处系北京最先设立之小学堂。入中西小学堂后，即读西文ABC……与教科书等；所可惜者，未读四书、五经等等。大约凡与我年相若之友朋，类皆读过四书，而我则始终未之读也。我之所以从小时候即入学堂读教科书，实因先父之思想趋向"维新"，暂不欲我诵读古籍也。

小学未届毕业，即入顺天中学（北京原为顺天府），十九岁时中学毕业。我之受正式教育的时日，即止于此。此后即未能再受正规的教育，入较高的学校求学。因此之故，诸君或可明白我不够讲学问，亦无学问可讲。良以讲学问必须具有相当的条件与工具；讲中国学问，非知道文字学（即小学）、经学等不可；讲西洋学问，西文不具备相当之根基，亦实不可能。兹二者我皆未尝下过工夫，我又何能讲中国学问或西洋学问？我当初所受的教育，如此浅薄，讲学问的工具，如此不够用，而一般人视我为学问家，目我为学问中人，宁不可怪？然我对于种种学问又似乎都知道者，实即上文所说，问题逼之使然也。我所知者,实是于不知不觉中摸索得来,当初自己并未能料到,乃是误打误撞而来,自己实未尝想到学问究竟何事也。

某年,应清华大学国学研究院之请,作短期讲课。当时梁任公先生介绍我说"梁先生(指我)家学渊源";我即刻声明,我实在缺乏学问,更谈不到家学渊源。但从别一方面言之,我之一切,受先父所影响者,却又很大。所谓渊源,毋宁谓之为性情脾气渊源之为愈也。因此之故,在未说明我自己之前,又不得不先说明先父之为人。

先父为人,天资并不算高,只是太认真,太真实。此点由其思想上可以看出。先父有他自己的思想。本来,为人子者,似不该用批评的口吻,议论其父若祖;但欲诸君了解我,与了解先君之为人能清楚计,又不得不尔。征实言之,先父之思想,原是浅薄,但他有思想。所谓有思想,即是肯认真,以为这样是对,那样则是不对。他有主见(即是思想),所以有主见,因为他肯认真。由于天资不高,虽有主见,而所见者甚简单耳。

最可怪者,先父之思想,实与西洋思想相近。他实在是一个功利主义者。他时时持有一个标准,而依此标准评论一切。他所持有之标准,即是"有用处"三字。他批评世间一切事，有用处即是好，无用处乃是不好，此点仿佛与詹姆士（James）、杜威（John Dewey）等之思想相近——所谓实用主义。他自己虽也曾读书考中举人，但他最看不起读书人，最看不起做文章的人；因为读书人不中用，因为文章亦不中用。因之，读书人要不得，文章亦不必要。他最看不惯人作诗词写文章，他时常叹息痛恨中国国事为文人所误；一个人如果读书中举，便快成无用之人，如再中进士点翰林，则更将变成废物而无用。

先父思想之所以如此者，不外下列数种原因：其一、由于他的天资不高，所见未免着重事物，稍涉虚渺处即不能知之，于是所见者皆甚简单。其二、由于当时之社会国家情势，予先父以莫大之刺激与影响。彼时正在曾胡用兵之后，开出崇尚"事功"的风气；与在乾隆、嘉庆时，中国的风气，正是讲汉学者不同。迄于光绪中叶，国际侵略日加；甲午一战，关系尤大。在在使先父感伤国势之危殆，问题之严重，不能自已。同时先父又看到西洋各国之强盛，事事有办法，有功效，有用处，而反观中国，则一无办法，事不见功效，人又无用处。先父之倾向于维新者，实即其人感情真挚，关切国事，及其一种实用主义哲学，主张务实不务虚之故。惟其如此，故不令我读经书而便我入学堂也。

以下须转归说明我自己。我自己的性情与脾气，颇多相似于先父之处。先父大贤不肖，我自己亦甚笨。我越幼小时越笨，此点诸君或不肯置信，而实则我自己反省时确确如此也。在我说明我自己时，仿佛我站在旁边看我的为人，全是客观的态度；用好字样讲自己的好处时并非夸大，用不好的字样亦不是谦虚，此点最盼诸君能加留心。

我为人的真挚，有似于先父。在事情上认真，对待人也真诚。即先父之视我，亦自谓我与他相似；当我十七岁时，先父曾字我曰"肖吾"，于此可见，在今日我自己反省时，我感觉到我的所以如此者，无一不是由于我的性情脾气所造成。诸君能了然于此后，请进而言事实。

吾人幼小时，心胸中空空洞洞，势不免于先入为主。况加我之性情脾气既同于先父。于是先父的思想，乃成为我的思想。先父为一实用主义者，我亦随之而成为一实用主义者。我入中学时十四岁，国文教师教我的唐宋八大家的古文，我最不高兴；国文讲义，我向例不看，尤其不喜欢空洞的议论，如苏东坡之"万言书"。至若《庄子》上的文字，更叫我头痛痛恨。因为《庄子》上的文字，富有哲学意味，玄妙极顶；类如"此一是非，是是非非，非非是是"，实在是故示玄妙，完全是骗人误人的东西。所有《庄子》、《老子》一类书，我概不以为然。其他如古文、词章、文选派之六朝文章，我无一不厌恶。我从来没有在国文上下过工夫。由此种至狭隘之见解中，亦可以看到我之愚笨为何如，我之认真为何如。此种狭隘之见解，二十余岁以后，才渐次解放。我所有的这半生中，变化极多，许多事从前与日后完全不同样，俨若两人。这在我当初实不及料。在今日我反省过去，我却有以下之"四不料"。其第一不料，即当初最反对高玄最嫌厌哲学，却不料以后反而到大学中去讲哲学，致为人目之为哲学家也。

我的至狭隘之见解，几经变化才得逐渐解放。第一次发生变化时，即在顺天中学。同学中有郭仁林君其人者，年长于我两岁，在校中则较我低一班。此君天资极高，彼时不过十八九岁，专看佛经、《易经》、《老子》、《庄子》等书，因我们不同班，不多往来。某日，在校内假山上遇见，乃相攀谈。我述我的思想，我说我愿为社会为国家做一番事业，慷慨陈词，自命不凡。郭君笑而不以为然。彼所以语我者，认为我既是想做事业，自己必须先进行身心的修养。我语之，我亦看《理学宗传》、《阳明语录》等书。彼又语我，吾人必先将世间之得失成败利害等等,看来无动于衷,由此方可有大无畏之精神,不因稍感挫折而遽尔心灰意懒;如果以我如此之拘谨、狭隘、呆板,专讲有用之学,实不能成大事。必须先明白了很高之学问,日后才有办法。郭君一席谈话,打动了我的心肝,因为这些话无一不是就我当时的思想而加诱导的。自此之后,我不时与他亲近,不时相与往还。他最爱讲谭嗣同之《仁学》。郭君每为我讲时,我即记录其说话;我不敢认他为同学,乃尊之为郭师。每日课后即前往就教,他讲我听,且一一记之。在记录之簿本上题名为"郭师语录"。由此亦不难看出我之认真与愚笨,但好处即在于愚笨与认真。因为愚笨,思想的过程,不能超过他人先走一步,必须走一步后,碰着钉子,乃又反省、转移、变化;"每一步皆是踏实不空,以后又继续追求,向前走去,追求时碰着钉子,乃又反省、转移、变化"。以故我此生时时在变化中。因为有变化,先前狭隘之见解乃得渐次解放,不敢谓佛老为绝无道理矣。以上可说是第一次的解放。

第二次的变化,亦即是第二次之解放,乃是从人生问题烦闷中发生厌世出世之思想而转变了我之为人。关于我的所以发生厌世思想种种,说来话长,非在此短时期内所可言之无遗。《漱溟卅前文录》(商务印书馆发行)有《究元决疑论》一文可以参看。此篇文字系一出世主义之哲学，今日不必在此再赘言之。原其所以然，盖由三层缘故：一、感情真挚易多感伤感触，佛家所谓烦恼重。二、事功派的夸大心理易反动而趋消极。三、用思太过，不知自休，以致神经衰弱而神经过敏。但在主观上则自有一套理论，持之甚坚且确。因为发生厌世思想，则根本否认人生，更不再讲实利。于是以前之狭隘实利主义乃大解放矣。

我的看佛学书，是自己已经先有了与佛家相近之思想而后才去看佛学书。我看任何书都是如此，必是如此，必是自己先已经有了自己的一些思想而后再参考别人的意见。从未为读书而读。看西洋哲学书亦复如此。友人张崧年（申府）先生以我之思想与叔本华之思想相近，于是乃将叔本华之著作与相关之别人著作介绍给我。这是我看西洋哲学的起源。总之，我自己必先有问题与思想然后才去看书。如此辗转，如此过渡，如此变化，乃成为今日的我，乃有今日的思想。

讲到这里，可以结束我今日的说话。关于我的人生思想之转变或是哲学的变化，可分为三期。第一时期为实用主义时期，从十四五岁起至十九岁止，以受先父之影响为多。第二时期即为上文所讲之出世思想归入佛家，从二十岁起至二十八九岁止。在此时期中一心想出家做和尚。第三时期由佛家思想转入于儒家思想，从二十八九岁以后，即发表《东西文化及其哲学》一书之际。在此三个时期中，令人感觉奇巧者，即是第一个时期可谓为西洋的思想，第二个时期可谓为印度的思想，第三个时期可谓为中国的思想。仿佛世界文化中三大流派，皆在我脑海中巡回了一次。

我本来无学问，只是有思想；而思想之来，实来自我的问题，来自我的认真。因为我能认真，乃会有人生问题，乃会有人生思想、人生哲学。不单是有哲学，因为我不是为哲学而哲学。在我的出世思想必要出家做和尚而后已，当初我的思想是从实在的问题中来，结果必回归于实在的行动中去。譬之佛家的实在处所，即在不吃荤、不结婚出家做和尚，我当时即要如此做去。我二十余年茹素习惯即由彼时养成。我中学毕业之后原须升学、求学问，但当时的我，一心想做和尚则又何用升学为？

我之所以能如此者，先父之成就我极大。因先父从来不干涉我、勉强我；从未要我准备功课督促我升学，此实常人所难及也。先父甚不喜欢佛学，但他不禁止我看佛经；先父希望我升学，但他未尝明白语我要升学；先父希望我结婚，但他从未一言及我应当早日结婚。而在我自己,亦未尝不明了先父之意旨,希望我升学,希望我不要研究佛学,希望我结婚。当民国七年,先是崇尚西洋思想,反对东方文化的。我日夕与之相处,无时不感觉压迫之严重(我对于儒家思想之了解系先前之事,而思想转变由佛家而儒家则在此时之后也)。我应聘之前,即与蔡、陈两先生说明,我此番到北大,实怀抱一种意志一种愿望,即是为孔子为释迦说个明白,出一口气(出气二字或不甚妥当)。其时文科教授中诸先生有讲程朱老庄之学者,更有其他教员亦是讲中国的学问。《新青年》杂志之批评中国传统文化,非常锋利,在他们不感觉到痛苦;仿佛认为各人讲各人的话,彼此实不相干;仿佛自己被敌人打伤一枪,犹视若无事也。而我则十二分地感觉到压迫之严重,问题之不可忽略,非求出一解决的道路不可。在我未肯定我的答案以前我一时可以缄默不言;但必是时时去找路子,探求答案,不稍甘一如他人之漠不关心也。

民国九年蔡校长出国赴欧洲考察,北大同人为之饯行。席间讲话,多半认为蔡先生此行,于东西洋文化之沟通关系颇大;蔡先生可以将中国文化中之优越者介绍给西方去,将西方文化之优越者带回到中国来。在各人讲话完了之后,我即提出质问。我说：诸先生今日的说话，似颇耐听；但不知东方文化中有什么可以介绍给西方去？诸先生如不能确实言之，则今日席话，实有类似于普通饯行之寒套语，甚少意义与价值。

由上所言，可见我凡是成为问题的，在我心目中从来不肯忽略过去。推究其故，还是不外我肯认真，不能不认真，不能不用心思，不能不加以考究，决不容许我自己欺瞒自己。如果我们说不出某一个问题中的道理，即是我们没有道理，我们看到别人家是好或是对，则别人家即是好或是对，这点不能有迟疑的。我往常恒以旁人之忽略对方的意见，对方的见地之可怪。因为每一个人都会有他自己的见地，即便为荒谬的见地或意见，亦必有其来源。我们须认真了解对方（即是与我不同者）的见地，明白对方的意见，是一件极重要之事，而普通人往往不能注意及此，宁不可怪？诸君中如曾注意阅读我业经发表之文字，可以看出我写文章的方法，多半为辩论体裁，先设身处地将别人的意见，叙述得有条不紊，清清楚楚，而后再转折说出我的意见。我已往凡是批评西洋的民主政治以及批评俄国现行的制度，无一不是先把人家的意见，研究得透彻，说得明明白白；然后再转折到我的批评，批评其不通，批评其不行，在《东西文化及其哲学》一书中，我对于西洋文化的优点先阐明无遗，东方的不行处说个淋漓痛快；然后归折到东方文化胜过西洋文化之处。我原来并不曾想到著书立说、谈学问，只是心目中有问题，在各个问题中都有用过心思，无妨将用过的心思说给大家听；因为我的问题，实即是大家的问题，我自己实实在在，无心著书立说，谈学问也。过去所以讲东西文化及其哲学的原因是如此，现在所以讲"乡村建设理论"的原因仍复如此。

我讲话至此，愿附带为诸君言者，即是我心目中愿写出以下四本书：第一为《东西文化及其哲学》，此已有讲稿出版。第二为《人心与人生》，此书内容于十六年春曾为北京学术讲演会讲过三月，约得书之半，全稿则未暇着笔。第三为《孔学绎旨》。第四为《中国民族之前途》（亦名《乡村建设理论》），即此次为诸君所讲者，拟将记录稿加以修正再行付梓。所以想写"人心与人生"的原因，乃以《东西文化及其哲学》一书发表之后，我自己又发觉了自己的错误。在此书中赞扬孔子与阐明儒家学说之处，不幸有两大不妥。我在此书第八版"自序"中曾有下列一段说话：

> 这书的思想差不多是归宗儒家，所以其中关于儒

窄的说明自属重要,而后来则有所恰自悔前差的亦都是在此一方面为多。总说起来,大概不外两个根本点:一是当时所根据以解释儒家思想的心理学见解错误;一是当时解释儒家的话没有方法,或云方法错误。大凡是一个伦理学派或一个理想家都必有所据为基础的一种心理学。所有他伦理学上的思想主张无非从他对于人类心理抱如是见解而来。至于我在此书中谈到儒家思想,尤其喜用心理学的话为之解释。自今看去,却大半都错了。盖当时于儒家的人类心理观实未曾认得清,便杂取滥引现在一般心理学作依据。而不以为非;殊不知其适为根本不相容的两样东西。至于所引各派心理学,彼此脉路各异,亦殊不可并为一谈;则又错误中的错误了。

《人心与人生》一书的内容,即在于纠正《东西文化及其哲学》一书中的此种错误。至若《孔学绎旨》一书之所以必须写出,亦复根由于《东西文化及其哲学》一书中,因为在此书中我引征古书、解释古书时又缺乏方法,与从前的人犯了同样病症,随随便便地说来,漫无准则,有意地或无意地附会牵和，委曲失真。从前的人解释古书时往往如此；譬如《大学》上所讲之"格物致知"，各人即有各人的解释，朱子（熹）有朱子的解释，王阳明有王阳明的解释，其门下人又有各种不同的解释。有人统计过，关于"格物致知"的解释，古今有六百余种之多。如果我们解释古书有一种方法，而此种方法又为人所公认，则路子相同，结果亦必相同也。《孔学绎旨》一书之内容，即愿在这一方面有所贡献，能说明孔子学说以及解释中国古书的方法来，同时亦即是纠正《东西文化及其哲学》一书中的错误。总之《人心与人生》、《孔学绎旨》两书之导源，皆系来自《东西文化及其哲学》一书，而《东西文化及其哲学》一书之产生，实由于我对于人生问题的烦闷；因为对于人生问题的烦闷，乃由实利主义的思想转变为出世的思想，又由出世的思想——即佛家思想，转变为儒家的思想。这都是沿着人生问题而发生的变迁而产生的答案。

日昨曾讲及最近我省思我的过去，竟不知曾有"四不料"。以下乃可以结束上文，讲到第二个不料。我小时候未尝读四书五经，而后来乃变为一个拥护儒家思想赞扬孔子的人。普通人以为我赞扬孔子，阐明儒家的思想，必是曾经熟读过古书；殊不知我对于中国重要古籍，不过仅如看闲书、看普通杂志般地浏览过。我须引征古书时,必须翻检原文,而且常常不能寻找得到。拥护儒家阐发孔子思想乃偏偏出于我这样一个人,实所不料也。

我的问题虽多,但归纳言之,不外人生问题与社会问题两类。以上所讲皆涉及人生问题。以下请进而为诸君讲我的中国社会问题。此处所谓中国社会问题是以中国政治问题为中心。我今日所提倡并实地从事之乡村运动,即是我对于中国政治问题的一种烦闷而得来之最后答案或结论。至若我之与社会问题,社会问题对于我的刺激究竟如何,此有待于按步说明下去。

日昨我曾为诸君讲及:我肄业顺天中学时,我即很想做一个有用之人,为社会为国家做一番事业,有所建树;于此亦可看出我之关切大局,热心爱国。我记取彼时因为发生国际问题的缘故(究为何事已不复记起),全校同学,莫不慷慨激昂,痛心疾首,自愿受严格之军事训练,作御敌之准备,一若"九一八"事件发生各地学生之行动。其时我与同学雷国能君被举为军事训练队队长,要求学堂监督(校长)聘请军官到校授课,此一事也。日昨又曾为诸君讲及我对于国文一科从来未曾下过工夫;可是我一向爱看爱写。其时最爱看之杂志,即是

《新民丛报》、《国风报》（此系《新民丛报》之后身）两种；又极爱看普通之日报，每日不看报，则无异于未曾吃饭饮水。这也是留心时事与关切社会问题的表现。当时国内政见有两大极不相同之派别，其一为立宪派，即梁任公先生所领导者；又其一为革命派，即孙中山先生所领导者。革命派的文字，因其时北京尚在皇室统治之下，不易多得；但胡汉民、汪精卫诸先生之见解，亦有若干小册子，由日本转寄得之，可以看到。至若立宪派之文字则取阅较易。当时我最爱看《立宪派与革命派之论战》一书；因书中系搜集双方不同意见文字而成。我写此书，几于无时或离，日间则携之而走，夜间则枕之睡。又因其时年岁尚小，无法参加立宪派与革命派之大战，乃参加小战；因彼时校中有同学甄亮甫者（曾入同盟会，后来担任中山先生秘书，现在在美国）系一赞成革命派之人，而我则赞成立宪派之意见，于是乃互相辩论，以书信体之文字发表，给予同学互相传观，此又一事也。在此种事实中，无在不是表示着我对于社会问题的关切或兴味。

革命论、立宪论，皆是当时改革政治的主张，因为大家看出清廷无诚意实行君主立宪，所以许多人由立宪论者转入为革命论者，辛亥革命随之而发生。其时我亦已由立宪论者而转入为单部记者,并参加秘密工作。民国元年我乃与甄先生办报纸,做新闻记者。在此时期(即二十岁)曾有一短期间,非常热心于社会主义。当时中国亦有所谓"社会党",虽有声势,但内容颇空虚,颇不健全(按即江亢虎所领导者),我并未与之发生关系。其时我偶然从故纸堆中拣得一本张溥泉(继)先生翻译的日本社会主义者幸德秋水所著《社会主义之神髓》一书;阅后,心乃为之大动,且深深地反对私有财产制度,认为世间一切罪恶,皆渊于私有财产制度。私有财产制度一日不废除,任凭世间有很严的法律,如军队、警察、司法官维持着不许大家逸出范围,结果都属劳而无功。当时曾有《社会主义粹言》一书之写作,自己向人借来钢板钢笔,自己缮写,自己印刷数十份,分送友好。此点在《漱溟卅前文录》一书内《槐坛讲演之一段》一稿中曾经提到。槐坛者山东曹州第六中学唐槐下之讲坛也。但此时期(即热心社会主义之时期)颇短促无多日,由此时期乃一变而入于佛家思想、出世思想。此种变化,乃在热心社会主义思想之后,换言之,即是否认了社会主义理想之后,乃确定了我出世思想,转入于佛家一途。这应归并于人生问题中言之,而无用在此论列也。

我二十岁至二十四岁期间,即不欲升学,谢绝一切,闭门不出，一心归向佛家，终日看佛书。在此时期内自己仍然关心中国问题，不肯放松，不肯不用心想。此点在《思亲记》一文中亦曾言及：

> 公尤好与儿辈共语，恣之言，一无禁。吾兄既早就外傅，及长又出国游；两妹则女儿稚弱；健言者惟漱溟。公固关怀国家，溟亦好论时事，于是所语者什九在大局政治新旧风教之间。始在光宣间，父子并嗜读新会梁氏书。溟日手《新民丛报》若《国风报》一本，肆为议论；顾皆能得公旨。洎入民国，渐以生乖。公厌薄党人，而溟故袒之。公痛嫉议员并疑其制度，而溟力护国会。语必致忤，诸类于是，不可枚举。时局多事，倏忽日变，则亦日夕相争；每致公不欢而罢。然意不解，则旋复理前语；理前语，则又相持。当午或为之废食，入夜或致晏寝。即寝矣，或又就榻前语不休。其间词气暴慢，至于喧声达户外者有之；悖逆无人子礼。呜呼！痛已！儿子之罪不可赎已！

即使叫我父子二人，既非党员，又非议员，自己曾不在旋涡中，原可闭户安居，而仍如此争辩者，亦无非我父子二人对于社会问题之不肯放松，种果气耳。（在《漱溟川前文录》中有《吾曹不出如苍生何》一文，亦系此时所作；当时关切时局战祸的心情与对政治问题的见地，文中颇可见。）

先父六十岁生辰将届之前数日，家人原拟邀约亲友，举行祝贺。因屋宇须加修葺，乃请于先父，先父认可，即去北京城北隅一亲戚家小住；该处有湖名净业湖，其后即投水自尽。先父离家时系在早晨，在他心意中早怀下自尽之念，唯家人不知耳。临行前偶从报上一段国际新闻引起闲谈，尚忆及他最后问我"世界会好吗"？我答复说："我相信世界是一天一天往好里去的。"他点头说："能好就好啊。"从此再没见到先父。父子最末一次说话，还说的是社会问题。自从先父见背之日起，因他给我的印象太深，事实上不容许我放松社会问题，非替社会问题拼命到底不可。

(1934年1月4日讲)

日昨已叙述到从前对于社会问题之关切情形，但尚未说明我如何从对于社会问题之关切而转变到"乡村建设"的主张。

今日将为诸君讲述此中种种,亦即是我对于社会问题之所以有此项答案之缘由也。

此中种种,即从头至尾,转变之历程,似可分为若干段落说明。其最初一段即是上文,业已说过者:我从前是非常之信佩西洋近代政治制度,认为西洋政治制度是非常合理的,其作用是非常巧妙的。我彼时总是梦想着如何而可以使西洋政治制度到中国来实现,从十五岁起一直到二十余岁都是如此,所谓"策数世间治理则矜尚远西"者是也。在此际亦正是与先父的思想相背道而驰的时候。诸君如果需要明白我彼时对于西洋政治制度之了解与思想,可参看《中国民族自救运动之最后觉悟》一书中第四篇《我们政治上第一个不通的路——欧洲近代民主政治的路》一文。此文前半篇皆是阐明西洋近代政治制度之优良巧妙也。

日昨又曾为诸君讲及我在清末时为一立宪论者,其后又转变而为革命论者。当我所以赞成立宪论时,实鉴于美国、法国的制度不若英国的制度。当时我对于中国问题之见解,以为最关紧要的是政治改造问题而不是对满洲人报仇问题。如果认作是报仇问题,则推翻满人,赶回满人到关外去固当也。因为认作是改造问题,而西洋政治制度安排最妥善者莫如英国,则趋向英国，乃自然之理。迨至清廷对于立宪无诚意时，人势所迫，不得不转而革命；但我之视辛亥革命仍是认作一种政治改造运动。民国成立之后，我以为政治改造之要求已属达到，或可说已有希望，而事实上乃大不如此。反致一年远似一年，一年不如一年，开始时还似有希望，而日后则越来越绝望。当此时也，一般人类多责难彼时三数强有力者之破坏政治制度，如袁世凯之破坏约法以及其他军阀之攘夺竞争；而在我则始终认为这不是某几个人所能破坏的，我们仅责难少数人，实已蹈于错误之境地。即今日之国民党，党内种种不健全和失败，亦决不是某一个人的过失，或是某某等几个人的过失。我常喜欢对人如此说：我们看任何事，不要只看中心点，须看四周围，看背景、看环境；不能只看近处，还须看远处；不能只看浅处，还须看深处；不能只看一时，还须得看过去所以如此的成因与由来。所以在当时一般人都责难袁世凯和其他军阀有力者，而我则不然。我由此而转变到第二段思想中去。

我深悟到制度与习惯间关系之重大，我深悟到制度是依靠于习惯。西洋政治制度虽好，而在中国则因为有许多条件不够，无法建立起来。许多不够的条件中最有力量者即习惯问题。或关系其他条件而可以包括许多其他条件者即为缺乏习惯这一极重要条件。因为中国社会、中国人（一切的人）缺乏此种习惯，则此种制度便建立不起来。

我常如此说：我之看一个人，就是一团习惯；一个社会（不论是中国社会、意大利的社会乃至于其他的社会）什么都没有，亦不过是一团习惯而已。中国社会之所以成为中国的社会，即是因为中国人有中国人的习惯。吾人须知道人类与其他动物不同，人类受后天影响极多、极大，而其他动物则不然，以先天所形成者为多。人类之生长，即习惯之生长，此在稍稍了解教育学、心理学者，类皆能知之也。吾人一举一动，一颦一笑，皆有其习惯；所谓"习惯"，换言之即是"路子"。譬如我写字，我有我的习惯，有我的路子，一提笔即是如此。推而至于说话，亦复如此：两唇一张，即"那么来"。中国人一向就是"那么来"，有他那种习惯，有那样路子；而他的路子与西洋人本不相同。夫然，西洋政治制度不能在中国建立起来，何足怪异？

民国元年公布之临时约法（即或是其他的新法令、新制度，如国会议员选举法等），在彼时虽然订成，虽然实行；但是这一件东西，只不过投入吾们大社会中一个很小之因子而已，只不过投入很有历史很有旧习惯之社会中一个新的因子而已。这小因子（如上文所说国会选举法）投入社会之后，虽然因着激刺也可以发生反应的事实（即是大家选举国会议员）；但是吾人应该明了，任何事实之构成，因子至多，决不是单纯而简单的，新投入之小因子，不过很多因子中之一极少极小部分，其比例必不及九与一，即新因子不及旧因子之什一也。以故所得之结果有十分之九不是新的。此种结果，当然不是初所预期之结果也。征实言之，在公布临时约法时，其希望超过事实上所可能做到者。约法之破坏，在一般人视为出乎意料，而在我则视为并非意外之事，应该认那最初草订临时约法者自己错误了。因为他们看着社会如白纸一般，看社会中人软面条无异，可以任凭染色，任凭改变；欲红则红，欲绿则绿；欲长则长，欲短则短。而不知事实上所诏示于吾人者，乃大谬不然。我们虽然给予刺激，虽然看到反应，但不过动一动而已。其结果决非若吾人当初所预期者也。总之，小的因子，决不能有把握要社会到怎么一种地步去。

所谓因子多，即是条件多；所谓旧势力大，即是旧习惯深。民国初年之后，国事日非，当时我并不责难某一个人或是少数人，我唯有深深叹息，叹息着中国人习惯与西洋政治制度之不适合。此时我已不再去热心某一种政治制度表面之建立，而完全注意习惯之养成。惟其如此,又从而引入了以下之转变。

当我注意到养成新政治习惯时,即已想到"乡村自治"问题。此中过程颇明显,因为我心目中所谓新政治习惯,即团体生活之习惯,国家为一个团体,国家的生活即团体的生活。要培养团体生活,须从小范围着手,即从乡村小范围地方团体的自治入手,亦即是由近处小处短距离处做起。我心目中所谓新政治习惯可分两方面言之:其一即团体中之分子,对于本团体或公共事务之注意力须培养起来;又其一即为培养其活动力。因为既经有了注意力即有"要如何"之方向,发生是非利害赞成反对等意思并奔走活动。希望活动力大,非团体中人对于此种活动发生与兴趣不可;活动力不大,则团体无生气、无进步。我们要培养新的政治制度习惯,即是要培养分子的注意力活动力或是团体力。因为我有这些觉悟,所以特别注意乡村自治。今日从事于乡村建设运动实萌芽于彼时。简要言之,即是从政治问题看到习惯问题,从习惯问题看到团体力之培养,从团体力之培养问题看到由小范围做起,于是有乡村自治之主张也。

关于上文所述种种,即是我的思想在此一阶段中转变的历程。忆民国十七年在广州政治分会曾有《开办乡治讲习所建议书》之提出，此稿现在尚可看到。其中即从养成新政治习惯立论也。又有"乡治十讲"之笔记稿一束，即在广东地方警卫队编练委员会为各职员所讲述者；唯未暇校正，时下亦未印行耳。

我彼时注意政治习惯问题很自然地转变到乡村自治（即今日之乡村建设）的主张，实在说来，尚不能算是深刻。因为彼时我虽然觉悟到中国如果要实现西洋式的政治制度，非先从培养此种制度之基础，即养成新习惯入手不为功。而未悟此种制度原不能实现于中国。日后我乃觉悟到决无法使中国人养成西洋式的政治基础（即是新习惯），决不能培养成此种新习惯，因为其中有梗阻处，有养不成处。而其梗阻则中国数千年文化所陶铸成的民族精神不同于西洋人而来。我所谓民族精神系包含以下两层：其一是渐渐凝固的传统习惯，其二是从中国文化而开出来的一种较高之精神，这两层皆为养成西洋式政治制度或政治习惯的梗阻。关于第一层之所以成为梗阻者，还容易看到；因为中国人，类多消极怕事，不敢出头，忍辱吃苦，退缩安分。此项阻梗或可矫正，不过比较费事耳。但在第二层则成为真的不可能，而又为一般人所不易看出者，因为西洋的政治制度或是习惯，较之于中国民族文化开出来的一种较高之精神为粗浅，为低下，现在已经开发出较高的精神，实无法使之再降低，使之再回转过来。关于第一层乃是吾们中国人的短处。但在第二层则为中国人之优越处，而此优越所在，即是西洋近代政治制度不能在中国建立起来的根本窒碍，无可设法解决的困难。中国人将不能不别求其政治的途径。至若什么是中国文化较高之精神，中国文化较高之精神为什么回不过来，我在《中国民族自救运动之最后觉悟》一书最前四篇论文已分析言之矣。其中尤以第三篇《我们政治上的第一个不通的路——欧洲近代民主政治的路》一文之后半节说得透切。诸君可参看原文，兹不申论。

我们回想最近二三十年来的经过，是不是政治改造运动失败史？较远之辛亥革命运动，以及十五年国民党北伐后厉行之党治，乃至于其间各次的政治改革，哪一次不是失败？有哪一次未曾失败得到家？我们回想其间的原因，固然由大多数人不习惯不明白为障碍，更有一种积极的力量，即是那些从事于政治改造运动者，他们不自觉地反对他，否认他，取消他自己的政治改造运动，此乃真正失败原因之所在也。从他们意识方面而言之，可以说他们是向西走或向南走，走向西洋制度的路子上去,而一究其实则是向东走或向北走,不向西洋政治制度的路子上走去,不自觉地背道而驰,或者是一足向东一足向西。而所以使他们如此者,实由于他们本身有不好的习惯,而同时又有较高之精神,要他们否认自己所要的路子,要他们自己拒绝自己的要求;这却是一般人所未能见到之处。

吾人今日所处之地位为最苦闷,即是因为政治上旧的新的道路都没有了。旧的道路再不能走回去,因为我们在意识上明白地积极地否认了他。在此情势之下,实无异乎吾人的当前筑起一面高墙,阻着道路,想回去亦无方法通过去。从别一方面言之,新的道路又未能建立起来,不特未能建立起来而且又在无意中,不知不觉中挡住了自己的前进。否认了自己所认为的新的道路。以故新轨之不得安立,实与旧辙之不能返归,同其困难,此亦为世人所不之知者。

这种觉悟(即是上文所述各节),比较稍迟,民国十年发表《东西文化及其哲学》一书时犹未之知也。彼时一方面固然觉悟到中国文化开发出来的一种较高之精神,但在同时仍信服西洋政治制度为必由的途径;如果中国能建立西洋政治制度,则经济、工业等等皆可有办法。洎乎民国十一年至民国十六年间,才切切实实认识了,决定了西洋政治制度与中国不能相连。中国虽然可以有政治制度，但决不是近代西洋的政治制度。经过此番觉悟之后，即坚决而肯定了我的主张，从乡村起培养新政治习惯（与先前所主张者，表面上虽相同，而实在则有别也，其大别不在答案之形式，而在有此答案之由来），培养中国式的新政治习惯，而不是西洋式的。培养之方，唯有从乡村起为最适宜。舍此以外，别无方法。并且我相信中国今日之地方自治，都市的成功一定是在乡村自治成功之后。从表面上看来，似乎都市中的自治容易办，因为都市方面物质较富，人民有知识，可以开会，会选举，仿佛具备着相当的条件。而其实都市自治，要想办成，虽圣人亦不能也。当初的我，是从小范围的观点上注意到乡村，这时的我却是从新习惯之必为中国的而更加注意到乡村。

(1934年1月5日讲)

明日当开始讲述乡村建设理论，今日将结束我的自述。日昨曾讲起我觉悟到中国人不能用西洋制度，于是吾人遂觉悟到一切政治制度于我们皆用不上。换句话，要吃现成饭是不行的，必须自己创造。我希望大家明了此一项确定的重要，因为我们既经明白了中国之旧有制度以及欧洲近代之政治制度乃至了俄国式的政治制度,皆无法拿来应用,则我们非从头上来不可。前者所云,必须培养新习惯,从小范围,从乡村做起,这虽也是从头上来之觉悟,但此种觉悟,尚未到家。待至此时恍然知无可假借,非从根芽处新生新长不行。这才是到家的觉悟。我有这样的意思,在心头盘旋往还,在上文内业已讲及开始于民国十一年,但心头上老是不能决定,老是迟疑,因为还希望眼前能有一个对付的办法可以使国家略好。盖此心颇不忍国家命运之日濒危境。直到民国十六年之际,我方始明确断定,在政治上,当前实在没有办法。虽然在民国十五年国民党北伐时,胸怀中曾也满储着希望,以为这或许是一个转机,或许是一个办法;而且在彼时即有种种事实,不由得不使我怀着这种观望。迨至民国十五年底十六年初,我先前从朋友中分出的人由南方回北平之后,为我报告此行所得印象与感想等等,其时虽在国民党气势极盛之际,我即已明白了这条路子还是走不通,还是非失败不可。因为中国人都不会走西洋路。一切现成的制度,都无法拿来应用。

民国十六年五月间,我因南方诸友好之殷切邀约,乃偕友人南行抵广州,晤会李任潮(济深)先生(时李先生以总参谋长代总司令留守后方)。此中经过情形,我于《中国民族自救运动之最后觉悟》一书《主编本刊之自白》一文中第三节曾有所叙述；现在不妨把原文引征于下：

> 自民国九年底，任潮先生离北京回粤，我们已六七年不见。我一见面，就问他，从他看现在中国顶要紧的事是什么？任潮先生原是"厚重少文"的一位朋友，向不多说话。他很持重地回答我："那最要紧是统一，建立得一有力政府。"他又慢慢地申说，从前广东是如何碎裂复杂，南路邓本殷，东江陈炯明，又是滇军杨希闵，又是桂军刘震寰，以及湘军豫军等等；人民痛苦，一切事无办法。待将他们分别打平消灭，广东统一起来，而后军令军制这才亦统一了，财政民政亦逐渐收回到省里了；内部得整理有个样子，乃有力出师北伐。所以就这段经历而论，统一是最要紧的。现在的广东，实际上还有不十分统一之处，假使广东的统一更进步些，那我更可做些事。一省如此，全国亦复如此。我问他，怎样才得统一呢？他说："我是军人，在我们军人而言，其责就要军人都拥护政府。"他更补说一句："这所谓政府自是党的

> 政府,非个人的。"我毅然地说道:"国家是不能统
> 一的,党是没有前途的;凡你的希望都是做不到的!"
> 他当下默然许久不作声,神情间,似是不想请问所以
> 然的样子。——我们的正经谈话就此终止。

当时李先生的说话真是根据事实而来的。他既不再说话,我亦不愿多说。因为其时他负有坐镇后方之责,我何敢扰乱他的心思。我乃离开广州城回到乡间(即新造细墟)去住。其后任潮先生似乎有点回味我那初见他时所说的怪话,我才和他在一起共事,替他帮忙(担任政治会议广州分会建设委员会代理主席——代李先生)。关于民国十六年以后,十七、十八两年政治大局种种,将来或另行为诸君讲述。总之,在此时我觉悟到一切现成的政治制度都无法拿来应用于中国。中国在最近的未来,实际上将不能不是些分裂的小局面。每个小局面都还是大权集中在个人之手,将无法统一;即使统一,亦不过表面形式而已。换言之,将成为一个军阀割据的局面;所以不能避免此种局面的症结之所在,仍是由于中国无现成之政治制度可由轨循也。任何政治制度决不能在此短时期内建立起来。

在此际,我的用思,有一发展,我迅速地从政治制度问题

而旁及于经济问题，从政治上之无路可走而看出于经济上之无路可走。原来经济进步，产业开发不外两途，其一即是欧洲人走的而为日本人所模仿的路子，即是近代国家制度能确立，社会有秩序，法律有效力，各个人可以本营利之目的以自由竞争成功资本主义的经济；其二即是俄国的制度，由政府去统制经济，若工业之收归国有，农业亦徐徐因国家经营农场之故而改变其私有的局面等等。这两条路，不论是自由竞争或是统制经济，都须有其政治条件或其政治环境。如前者之须有安宁的社会秩序，后者之须有强有力的政府，而此两大前提，在中国则全不具备；夫然又何能走向欧洲或俄国的路子上去？但在另一方面看，舍此而外，又别无第三条路可走，委实令人苦闷、彷徨，没办法。（在民国十八年时，我准备写《中国民族之前途》一书时，曾列有我们政治上第一个不通的路、第二个不通的路，我们经济上的第一个不通的路、第二个不通的路，共四章。）

我又很迅速地开悟出中国经济的路子须与先前所觉悟到的政治制度或习惯，同时从乡村培养萌芽起，二者可算是一物之两面。政治习惯之养成有赖于经济问题之解决，经济问题之解决又有赖于政治习惯之养成。所谓政治习惯，在上文内曾一再申说即是团体生活的习惯；而团体生活之培养，不从生计问题不亲切踏实；同时生计问题要有一解决，又非借结合团体的办法不行也。因此之故，我又看透了中国社会本来所具备的那全套组织构造，在近数十年内一定全崩溃，一切只有完全从头上起，另行改造。我先前以为政治制度是如此，现在却明白整个的社会，社会的一切，皆是如此，总须从头上起，另行改造。从哪里改造起？何从理头绪？何处培苗芽？还是在乡村。

我的思想上开展之处，尚不止此。当我看出中国社会组织构造已属崩溃时，便在比较中西社会组织构造之不同中，一方面寻求西洋社会的组织构造，如何从历史之背景演变而来，我们何以不能成那样的社会。总之，过去是那样，现在当然另是一个样子，将来又是一个样子。于是我先前所用之心思，所有的思想，已随即落实而不是流入于空洞之处，我的主张便更坚决不疑。在这些地方，得益于马克思和共产党各方面之启发不少；我的主张虽不相同于马克思和共产党，正因为不相同而思想上获得许多帮助也。先前喜欢比较的研究东西文化，现在更上下沟通成为一体。如上文所提及之中西社会组织构造以及历史背景等等。其间何以不相同，《东西文化及其哲学》一书实开发出一副窍门也。我的许多实际而具体的主张，无一不本诸我的理论，而我的理论又根由于我对于社会之观察，以及对于历史之推论分析等等。在观察社会与推论分析历史时又无在不有关于东西文化之分析研究也。征实言之，我使用心思时，有如下图所表示者。

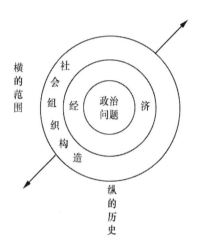

圆圈所表示者为思想范围之扩展，箭头所表示者为过去未来之纵的通达。因为我是看的通体，是看的整个，不是看的片面，不是看的局部，便不由得向上追寻，向下推究；越向上追寻，越会看清楚下面，越看清楚下面，越会知道上面。在这样看透了通体整个之后，我一方面很快慰地认清过去对于东西文化所研究，一方面更成熟了我今日乡治的主张。此项主张之成立，过去对于东西文化之研究，启发实在很多。

我提出"乡治"的主张是民国十七年的事；而主张之前后贯通，完全成熟，则近三年间事也。此中详细经过，日后必须为诸位讲及。在此际唯有一点须先为提示者，诸君须认清我之用思过程，乃是从眼前实际问题起（如先前因为对于中国政治问题之烦闷以迄于日后归究到培养政治习惯等等，无一非眼前实际问题也），绝非从高处理想起；因为是从眼前实际问题起，最初乃有一种很浅之觉悟或主张（如先前所主张之培养政治习惯须从乡村起），有此主张之后，乃实际去做或继续不断地研究探索，于是辗转而入于深微之处，辗转而入于比较抽象之处，或者说是人生哲学方面去了。可是，关于这一点，我所见到者与罗素则不相同，应该在此附带一声明与叙述。

英儒罗素对于中国文化与精神，颇致佩服与爱赏，他由中国回归英土之后，时常讲到中国的文化。我数曾引征之。他说：

> 中国今日所起之问题，可有经济上、政治上、文化上之区别。三者互有连带关系，不能为单独之讨

论。唯余个人,为中国计,为世界计,以文化之问题为最重要;苟此能解决,则凡所以达此目的之政治或经济制度,无论何种,余皆愿承认而不悔。(见罗素《中国之问题》第1页)

他又说:

余于本书,屡次说明中国人有较吾人高尚之处,苟在此处,以保存国家独立之故,而降级至吾人之程度,则为彼计,为吾人计,皆非得策。(见罗素《中国之问题》第241页)

罗素认为中国文化,绝不可有损伤,这是他的成见,而在我心目中本来地却一无所有,空空洞洞,但是从眼前实际问题起向前去追求,凡可以解决实际问题者,我皆承受,其损及中国精神与否我是不管的。但追求的结果,乃识得"中国文化"、"民族精神"这两个东西。——虽说像是抽象的,不可捉摸的,但从别一方面言之,却又是实在的,可以看出的。他好似一面墙壁,如果不依顺他,则不能通过这墙壁,而达到此面墙时非转弯不可,非至一定路程时亦不能转弯也。所以我又说他不是空洞的东西,可以拿出来也。

曾有人因为我好称举"民族精神"这名词,乃以什么是"民族精神"?"民族精神"在哪里?两问题相垂询。推测问者的用意,或是以为我讲空话。其实我在发表《东西文化及其哲学》一书尚未曾用到"民族精神"这名词——此不难于原书中得其证明也。其后发现了这个东西,遂名之曰"民族精神"。在上文中我曾屡屡说及,我个人是呆笨认真的一个人,你便让我空空洞洞不着实,我都不会。我非把握得实际问题争点,我便不会用思,不会注意。我是步步踏实的。我非守旧之人,我因呆笨认真之故常常陷于苦想之中,而思想上亦就幸免传统的影响、因袭的势力。"民族精神"这回事,在我脑筋里本来没有的,"东方文化"这大而无当的名词,我本是厌听的。我皆以发见实际问题争点,碰到钉子以后,苦思而得之;原初都是不接受的。这点以后当慢慢向诸君道来。

实在,在罗素先生他本人尽可放心。我们如果要在政治问题上找出路子的话,那决不能离开自己的固有文化,即使去找经济的出路,其条件亦必须适合其文化,否则必无法找寻得出,因为这是找的我们自家的路,不是旁人的路。不是旁人的路，所以我们在先前尽可不必顾虑到中国文化，中国民族精神；在问题追求有了解决，有了办法时，一定不会离开他。许多人的用思，起于理想要求，这是一个绝大的错误；我之用心，乃是从眼前实际问题起。罗素悬一个不损及中国文化的标准倒使人无法解决实际问题了。

我所主张之乡村建设，乃是解决中国的整个问题，非是仅止于乡村问题而已。建设什么？乃是中国社会之新的组织构造（政治经济与其他一切均包括在内），因为中国社会的组织构造已完全崩溃解体，舍重新建立外，实无其他办法。至若应用这个名词亦有几度修改。十七年我在广州时用"乡治"，彼时在北方若王鸿一先生等则用"村治"，如出版《村治月刊》，在河南设立村治学院等等皆是也。民国十九年河南村治学院停办，诸同人来鲁创办类似于村治学院性质之学术机关。我等来鲁之后，皆以"村治"与"乡治"两名词不甚通俗，于是改为"乡村建设"。这一个名词，涵义清楚，又有积极的意味，民国二十年春季即开始应用。但我之主张，则仍继续已往之村治主张，并未有所改变也。还有我们所主张之乡村建设可以包括一般人口中所常说"乡村建设"；但一般人口中所常说的"乡村建设"则不能包括我们所主张者；因为他们的主张，还多是局部的,非若我们之整个也。最近几七十八,颇当是在研究并实际从事于此种乡村建设运动中。

在上文内,我曾提及,我现在反省我的过去,我先觉到自己有四不料。第一个、第二个不料都已说过。第三个不料也已经说得分明,即是不料我自己生长于北京而且好几代皆生活于北京,完全为一都市中人,未尝过乡村生活,而今日乃从事于乡村工作,倡导乡村建设运动。以一个非乡村人而来干乡村工作,真是当初所不自料的事!现在再继续下去讲第四个不料。

第四个不料,即是当初我不自料乡村建设运动民众教育或说是社会教育为一回事。记得十九年率领河南村治学院学生赴北平参观时,现任师范大学校长李云亭(蒸)先生招待同人等于公园内,席间他演讲曾提到,在他心目中看,村治学院亦是民众教育的工作。(李先生为一热心倡导民众教育者,曾先后任江苏教育学院劳农学院——即今日教育学院之前身——教授、实验部主任,教育部社会教育司司长。)彼时我心实未敢苟同此意,以为我们所办理的,明明白白地为乡村自治自卫,我们何尝从教育出发?何尝在办教育?但过了数年到此时我已经回味到李先生说得不错,乡村建设也就是民众教育。民众教育不归到乡村建设就要落空;乡村建设不取道于民众教育将无办法可行。在事实上无处不表现出这个样儿；我们不妨提出几种略加说明：

去年夏季七月半前后，在邹平举行之乡村建设讨论会（其后改为乡村工作讨论会），前来参加者，以教育机关为多，如定县平民教育促进会，无锡江苏省立教育学院，上海中华职业教育社等；明明为一乡村工作讨论会而乃以教育机关前来参加者为最多。又如去年八月间中国社会教育社举行第二届年会于济南，本院亦前往参加，年会讨论之中心问题且为"由乡村建设以复兴中华民族"；明明是一个教育团体的年会，而讨论之中心问题亦复是"乡村建设"。本院定名为"乡村建设研究院"，并未标榜其目的在谋中国教育之改造，而中外人士之视本院，则多认为本院乃是从事于教育改造工作的机关，如美国哈佛大学教授霍金、哥伦比亚大学教授罗格等来华考察教育之结果，莫不视本院是一个谋教育改造的机关。广州中山大学教育研究所主任庄泽宣先生于去年赴欧洲参加世界新教育会议，讲及中国之新教育运动时，特于本院在邹平之工作，介绍颇多。各省人士来本院参观之后，多北上又去定县参观；本院与定县双方自身并未自己说我们是相同的工作，而外人之视本院与定县则为同样工作。这些都是事实。

又如二十年南京国民政府内政部召集之全国第一届内政会议,被邀参加者有本院,有定县平民教育促进会,有无锡教育学院。本来,内政会议讨论地方自治问题而请本院出席,原无足异;但又邀请定县与无锡参加者,可知在内政部方面看,不论邹平、定县、无锡皆是做的地方自治的工作。又事前曾简派各省地方自治筹备员,山东为我,河北为晏阳初先生,江苏为高阳先生亦可见。再次,二十二年一月间教育部召集之民众教育会议,定县、无锡被邀出席,固极应当;但亦请本院参加,可知教育部的看我们,都是从事于民众教育工作者。当真的我们乡村建设之推行机关所谓乡农学校或乡学村学者,亦就是民众教育机关。因此之故,不待为理论之申明,乡村建设与民众教育已不可分,事实上已合而为一矣。

我们再推究其间的原因,即是这两个地方的所以合流,不难知道这是由于中国社会问题的管束,使之不得不然也。因为大家身躯上都有中国社会问题的负担与压迫,在探求方向时,在寻求自家工作或自家事业如何办法才对之时,不期然而殊途同归;办教育者除非不想办真正的教育,如果想如此,非归到乡村建设不可;从事于乡村建设工作者,除非不欲其工作之切实,亦非走教育的路子不为功。乡村工作者在探求方法时只有归之于教育，教育者在寻找方向或目标时也只有归之于乡村建设，这都是中国社会问题逼迫他们如此走。

回想到去年夏季在邹平举行之乡村工作讨论会，我敬聆各方面的报告，得有一个很好的启发，即是今日社会中有心人士从四面八方各不同的方向，无一不趋归一处，即是趋归于乡村建设。这也是他们在当初所不自料的。譬如我们听华洋义赈会、定县平民教育促进会、上海中华职业教育社、华北工业改进社、燕京大学社会学系主办之清河试验区，以及来自河南村治学院同学会，镇平、汲县、遂平各处友好的报告（如由上列每个团体工作进行之经过与转变考究之，亦可得知以下结语），不论他们办事业的最初动机，在救人，在提倡识字，在训练工商业应用人才，在研究学术，在乡村自救（或自卫），而演变结果，皆归到乡村建设来，均认定于此处着手，方始根本有办法。此点实给予我们一最大关切重要的启发。我们与其说乡村建设运动是人为的，真不若说是自然而然的；我们与其说乡村建设运动倡导于我，不如说是历史的决定。我亦是被历史决定的，所以我亦料不到我自己啊。

关于中国教育的改造，指示其应以社会教育为主，以尽推进文化，改造社会之功用，而适应此时之社会问题，我曾有《社会本位的教育系统申论》一文,诸君可以参看,兹不备论。

(1934年1月6日讲)